JN225428

トガリ山のぼうけん ①

風の草原

いわむら　かずお

理論社

もくじ

こんやも、トガリィじいさんのへやにやってきたのは、三びきのトガリネズミの子どもたちだ。名前は、キッキにセッセにクック。近くに住む、トガリィじいさんのまごたちだ。みんな、トガリィじいさんの話が大すき。

「よぉし、こんやは、わしのとっておきの話をするぞ」

トガリィじいさんが、じょうきげんでいった。

「とっておきの話！」

キッキが目をかがやかせた。

「わかった。おじいちゃんが若いころ、大グマをやっつけた話でしょ」

クックが、右手をつきあげていっ

た。すると、セッセが、

「その話は、もう三回もきいたじゃないか」

と口をとがらせた。

「それじゃ、おじいちゃんが若いころ、大風にのって空を飛(と)んだ話！」

クックが、こんどはひとさしゆびを、顔の前でぴんとのばしていった。

「その話は、ゆうべきいたばかりだろ」

セッセが、クックをよこ目でにらんだ。

「とっておきっていうのはね、とっておいたっていうことよ。だから、クックがまだきいたことのない話なの」

キッキが、まるでおかあさんみたいにいった。

「そうそう、おまえたちに話すのは、こんやがはじめてだ。とても長い話だから、こんやひとばんではおわらない。まいばん、すこしずつ話していくことにしよう」

　トガリィじいさんが、三びきの顔をじゅんに見まわしていった。

「その、とっておきの話というのはな、わしが若いころ、トガリ山にのぼった話なんだ。おまえたちが、いつもながめてくらしている、あのトガリ山だ」

「ほんと！おじいちゃん、トガリ山にのぼったことあるの」

キッキがいうと、

「すげぇ！あんなにとんがった、高い山にのぼったの」

セッセが、いすの上に立ちあがっていった。

「すげぇ、すげぇ」

クックも目をまるくした。

「トガリ山って、天につきささっているんだって、かあさんがいってたぜ」

セッセが、頭の上で両手をとがらせた。

「ほんと！それ、ほんと！」

クックが、セッセの頭の上のトガリ山を見あげていった。

「そうとも。トガリ山のてっぺんは、

いつも雲にかくれていて下からは見えないが、たしかに天につきささっている」
トガリィじいさんは、鼻をひくひくと動かして、クックの顔を見つめた。キッキも、セッセも、クックも、じっとトガリィじいさんの顔を見つめた。
「わしたちトガリネズミの祖先は、トガリ山からうまれてきたんだと、わしのじいさんがいっていた。じいさんは、そのまたじいさんからきいたそうだ。それで、わしたちトガリィ家のものは、若いときに一度は、トガリ山にのぼるよういいつたえられてきた。わしのとうさんも、じい

さんも、ひいじいさんも、みんなトガリ山にのぼって一人前になったといっていた」

「ふーん。トガリネズミの祖先は、トガリ山からうまれたの」

キッキが、考えながら、ゆっくりといった。

「ソセンって、だれのこと？」

クックが、きょとんとした目でいった。

「おじいちゃんのおじいちゃんの、そのまたおじいちゃんの、もっともっと、そのまたおじいちゃんのことさ」

セッセがいうと、

「それじゃソセンって、すごい年よ

りなんだね」

クックが、ちょっと首をかしげていった。

「ちがうの。祖先って、ずっと、ずーっと、大昔のトガリネズミってことなの」

キッキがいうと、トガリィじいさんが、わらいながらいった。

「祖先といえば、トガリネズミの祖先は、ずっとずっと大昔、きょうりゅうたちが生きていたころ、もう、この地球でくらしていたといわれているんだよ」

「へぇーっ、おれたちトガリネズミって、すげえ」

セッセが、おどろいてトガリィじ

いさんの顔を見つめた。すると、
「ミミズも、ずっとずっと大昔から
いたのかな」
クックが、まじめな顔でいった。
「きっと、いたと思うな。ミミズも、
トガリ山からうまれたのかもしれな
いよ」
キッキがいった。
「さて、それでは、わしの、とって
おきの話、トガリ山のぼうけんをは
じめるとしよう」
トガリイじいさんは、また鼻をひ
くひくと動かして、めがねにちょっ
と手をやった。

1　ルリシジミのトガリ山

出発(しゅっぱつ)の朝は、いい天気だった。朝つゆにぬれた草むらに、夏の太陽(たいよう)がどっとさしこんでいた。風が草をゆらすと、いくつもの水玉が、光の中でこぼれちった。

草のあいだからトガリ山が見えた。白い雲のぼうしをかぶって、青い空にむかってキリリと立っていた。いまからあの山にのぼるんだ、そう思うと、わしのむねははずんだ。

ムラサキツユクサの花に、小さなルリシジミがとまっていた。

「おはよう」

わしが声をかけると、ルリシジミは、みつをすうのをやめてわしを見た。

「おはよう。いいお天気ね。朝早くからおでかけ?」

ルリシジミは、そよ風みたいなやさしい声でいった。

「いまから、あのトガリ山にのぼるのさ」

わしがむねをはると、

「まあ」

ルリシジミはおどろいて、トガリ山をながめた。

「あなたは、風が吹いてもへいきなの？」

「風？」


「そう、風よ。風はトガリ山でうまれるっていうわ。あたし、オオムラサキが話しているのをきいたことがあるの。あたしたち、風が吹いたら、草のかげでじっとしてるしかないわ。トガリ山がねむって、風がやむまでね」

ルリシジミは、羽をゆっくり動かしながら、わしを

見ていった。

「ぼくは、すこしぐらいの風ならへいきだよ」

わしがいうと、ルリシジミは羽をとめて、

「あなたってつよいのね」

といって、トガリ山に目をうつした。

「そうだわ。あなた、トガリ山にのぼるのなら、風がうまれるところを見てきてちょうだい。風って、どんなふうにうまれるのかしら。風がうまれるって、ふしぎね」

そのとき、もう一ぴきのルリシジミが飛んできた。ルリいろの羽がうつくしいオスのルリシジミだった。

「じゃ、気をつけて」

メスのルリシジミはわしにいうと、ヒラヒラとまいあがった。二ひきのルリシジミは、前になりうしろになって飛んでいった。ルリシジミがとけこんだ空は、どこまでも青くまぶしかった。

2　ジョロウグモのトガリ山

トガリ山を見ながら、朝の光をあびて草原を歩いていくと、クヌギやナラの木がまじった、小さな林があった。ツクツクボウシたちの声が、にぎやかだった。

ジョロウグモが、巣にひっかかった木の葉をおとしていた。

「おはよう」

声をかけると、ジョロウグモはしごとの手を休めて、わしを見おろした。

「おはよう。いい天気だねぇ。朝早くからどこかへおでかけかぇ」

ジョロウグモは、あいそうよくいった。

「いまから、あのトガリ山にのぼるのさ」

わしがむねをはると、

「おや、それはごくろうだねぇ。あんた、ひとりで行くのかぇ」

ジョロウグモは、おどろいたようにわしの顔を見てから、トガリ山をながめた。

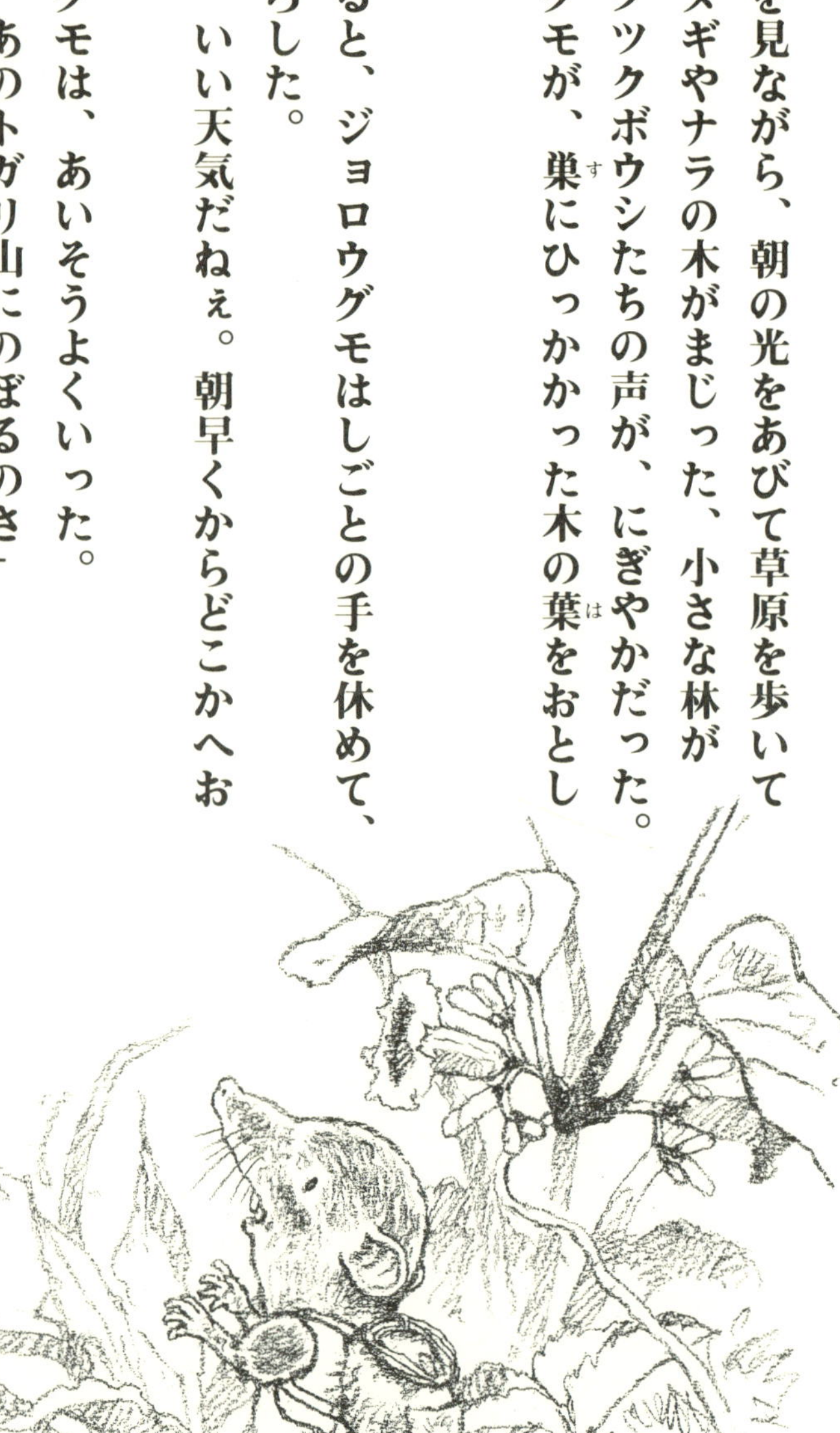

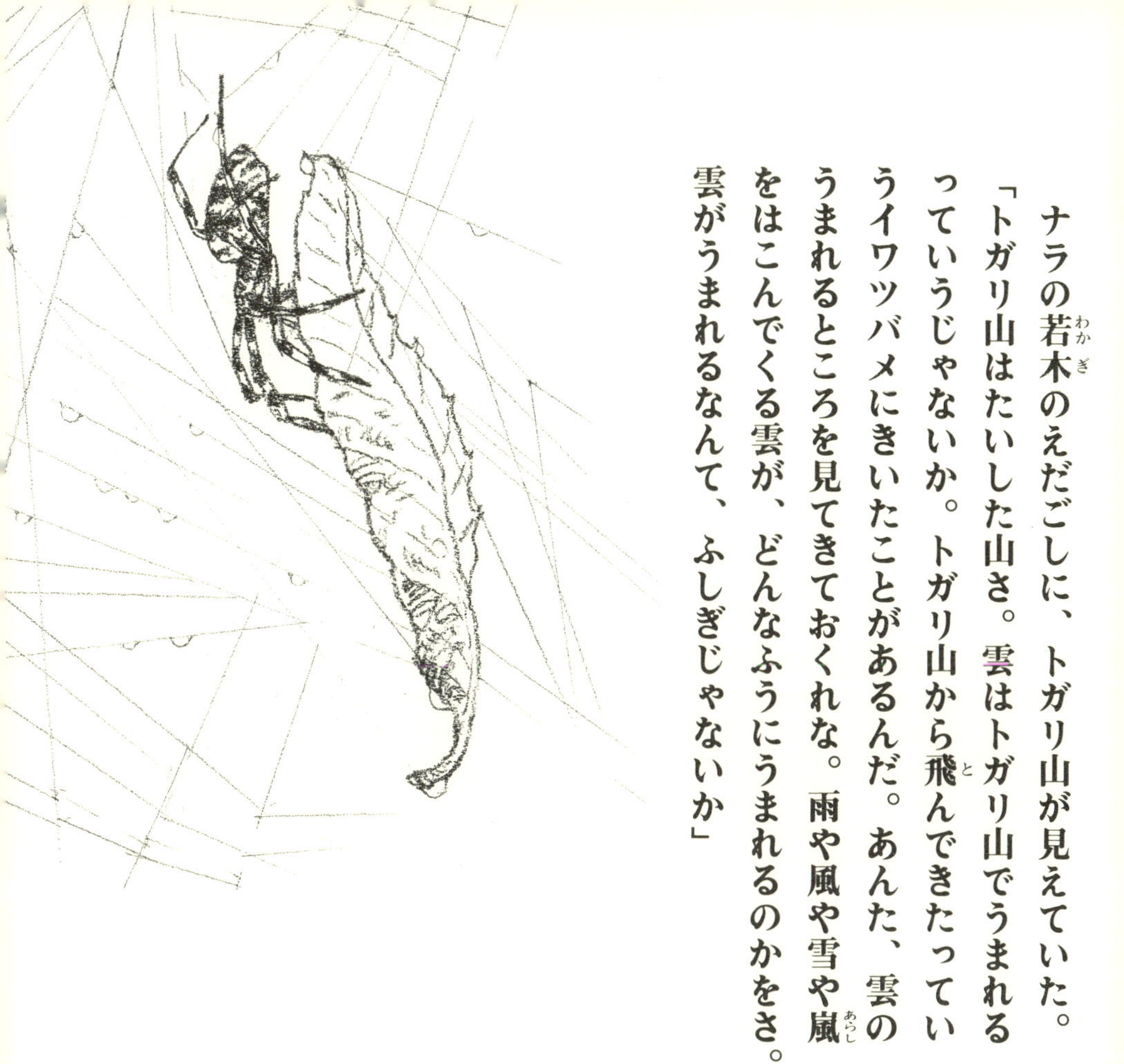

ナラの若木のえだごしに、トガリ山が見えていた。
「トガリ山はたいした山さ。雲はトガリ山でうまれるっていうじゃないか。トガリ山から飛んできたっていうイワツバメにきいたことがあるんだ。あんた、雲のうまれるところを見てきておくれな。雨や風や雪や嵐をはこんでくる雲が、どんなふうにうまれるのかをさ。雲がうまれるなんて、ふしぎじゃないか」

ジョロウグモがいうと、それまで巣のすみでじっとしていたオスグモが、つぶやくようにいった。

「トガリ山のきげんがわるい日にうまれた雲は、風をはこぶ。

トガリ山がおこっている日にうまれた雲は、雷をはこぶ。

トガリ山がねむい日にうまれた雲は、雪をはこぶ。

トガリ山がさびしい日にうまれた雲は、霧をはこぶ。

今日は青空、トガリ山は上きげん」

すると、

「おまえさんたら、なにをブツブツいってるんだい。ちっとは、てつだってくれたらどうなのさ。こんな木の葉がひっかかってたんじゃ、えものが近づかないじゃないか。うまれてくる子どもたちのために、あたしはこれから、たっぷり食べなきゃならないんだ。おまえさんとあたしの子どもじゃないか」

ジョロウグモがガミガミといった。オスグモは、巣

の一番すみっこにすわりばしょをうつして、ちょっと首をすくめると目をつぶってしまった。

「ふん、やくたたずなんだからねえ。まったくぅ」

ジョロウグモは、オスグモをにらみつけると、またしごとをはじめた。

巣がゆれて、朝つゆのしずくといっしょに、木の葉が光っておちた。

「やれやれ」

ジョロウグモは、巣のまん中にもどって、さかさまになり、どっかとすわりこんだ。

「じゃ、気をつけて行ってくるんだね」

ジョロウグモはそういうと、トガリ山をながめた。

わしもまねをして、顔をさかさまにして、またのあいだからトガリ山をながめてみた。トガリ山は、ふつうに見るよりもっともっととんがって、空にむかってたれさがっていた。

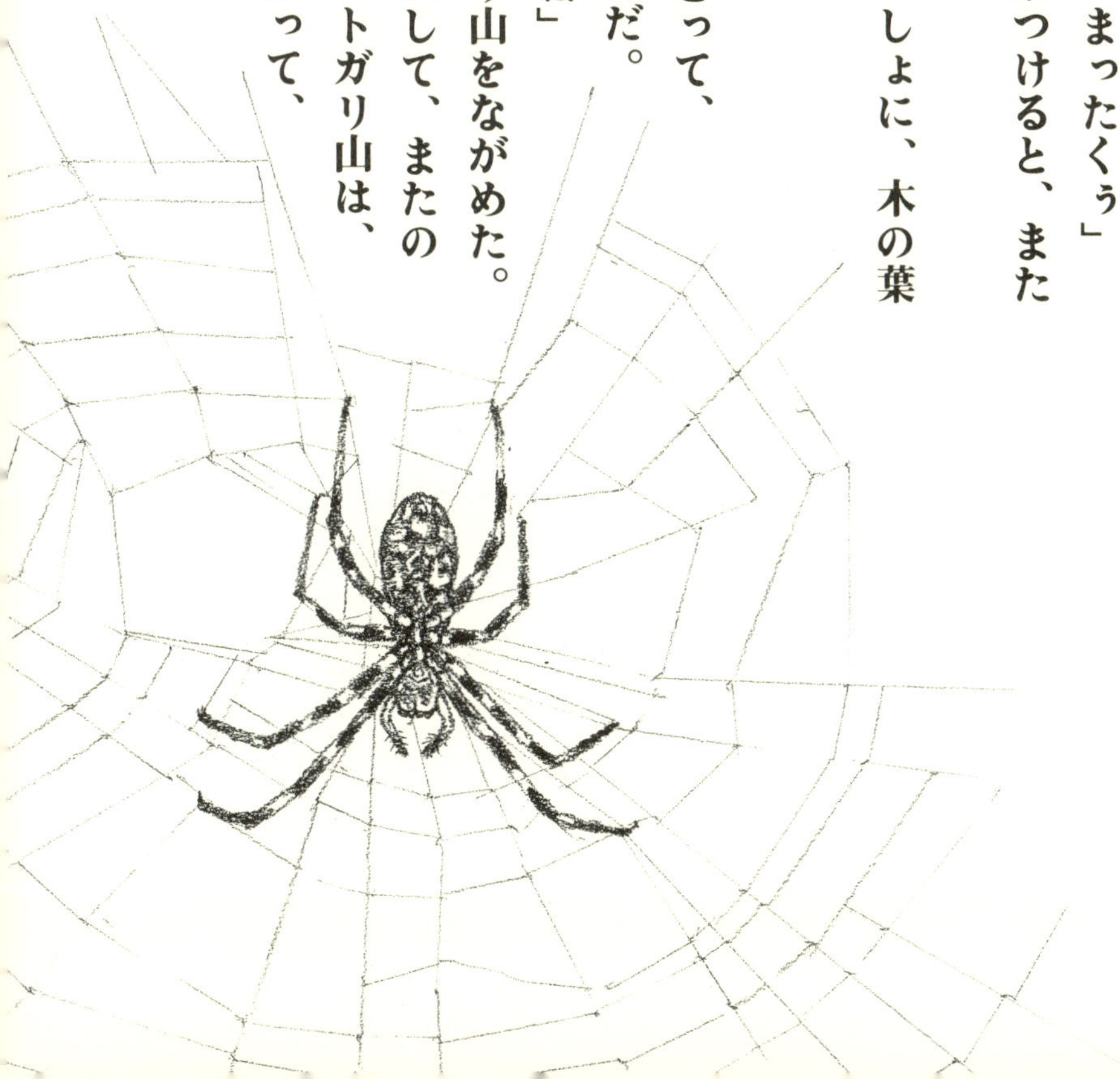

3 ミズスマシのトガリ山

草原の中に小道を見つけた。きっと、ノウサギや、タヌキや、キツネたちがつくった道だろう。トガリ山の方へむかってすすんでいく。

歩いていくと、小さな流れが、青空をうつしてすずしげな音をたてていた。丸木橋がかかっていた。橋の上から水面をのぞきこむと、ミズスマシが、しきりに輪をかいているところだった。

「おはよう」

声をかけると、

「おはよう。いい天気ですね、天気ですね。こんな朝早くからおでかけですか、おでかけですか」

ミズスマシは、息をはずませながらいった。

「いまから、あのトガリ山にのぼるのさ」

わしがむねをはると、

「え、え、え、え、え！」

ミズスマシはおどろいて、クルクルと五回早まわりで輪をかいた。

「あんなに高い、高い山にのぼるなんて、すごいです、すごいですね」

ミズスマシは、顔を水面から半分だけだしてわしを見あげて、しきりにかんしんしている。

「ゲンゴロウさんからきいたんですが、ぼくたちが住むこの流れの水は、トガリ山でうまれるんだそうです、うまれるんだそうです。ぼくたち水の中でくらすものは、トガリ山のおかげで生きているんです、いるんです。タガメさんがいってましたが、ぼくたちの祖先は水からうまれたんですって、うまれたんですって。アメンボさんはこういってました。アメンボもミズスマシも、ほんとうは、トガリ山からうまれたんだって、うまれたんだって」

ミズスマシは、体まず輪をかきつづけながらいった。アメンボやミズスマシが、トガリ山からうまれたなんて、わしははじめてきいた。

「ぼくたちトガリネズミも、トガリ山からうまれたん

だ。ずっと昔から、そういわれているのさ。ほんとうだよ」

　わしがいうと、ミズスマシは丸木橋の下へ輪をかきながらおよいできた。

「それじゃ、ミズスマシとトガリネズミは、もとはトガリ山を母にもつ、きょうだいだったわけですね、だったわけです。ぜんぜんにてませんけどね、にてませんけど」

　ミズスマシは、水の中でプクプクとわらった。

「ところで、にいさん。おねがいがあるんです、あるんです。トガリ山で、水がうまれるところを見てきてください、見てきてください。そして、ぼくに話してください、話してください。では、気をつけて」

　ミズスマシはそういうと、クルン、クルンとワルツをおどりながら、川上へむかっておよいでいった。ミズスマシのつくった輪がきえると、水面にトガリ山がうつってゆれていた。

「おれたちトガリネズミと、ミズスマシがきょうだいだったなんて、なんだかへんだと思うな」

セッセがうでぐみをしていった。

「トガリ山がおかあさんなんだから、きょうだいっていってもいいんじゃない」

キッキがいうと、

「じゃきくけど、トガリ山からうまれたっていうんなら、風や雲や水も、おれたちときょうだいだったってわけ？」

セッセが口をとがらせた。

「わぁ、風ときょうだいなんてすてき」

キッキがむねの前で両手をにぎっ

て、

「風と雲と水とは、そういえばきょうだいかもしれない。にているところがたくさんあるもん」

といった。

「じゃ、トガリネズミとミズスマシは、どこがにてるのさ」

セッセがいうと、キッキはちょっと考えて、

「風とトガリネズミにくらべたら、ミズスマシとトガリネズミのほうがにているところがたくさんあると思うな。目もあるし、口もあるし、足もある。食べものを食べるし、子どもをうむ。つまり生きてるってことじゃない」

といって、トガリイじいさんを見た。すると、クックもうでぐみをしていった。

「風や雲や水もうまれたのに、生きてないの？」

「なにそれ」

キッキが目をぱちくりさせた。

「そりゃ、風や雲や水は、おれたちみたいに、目も口も足もないけど、あんなに元気に動きまわっているんだから、生きてるんじゃないの」

セッセが、キッキとトガリイじいさんの顔を、かわるがわる見ながらいった。

「そうか、雲はしずかだけど、風や水は、大声でさけんだり、ないたり、

うたったりするね」

キッキがうなずいた。

「死んだら動かないもんね」

クックが、うでぐみをしたままいった。

「だけど、風や雲や水は、おれたちみたいに、ミミズやイモムシは食べないぜ」

セッセがいうと、

「だから、風や雲や水は、ウンチをしないいんだ」

クックが、うでぐみをほどいていった。

「でも、雲はおしっこをするもんね」

キッキが、わらいながらクックの顔をのぞきこんだ。

4　一人前のシオカラトンボ

とびきりの上天気だというのに、トガリ山だけには、いつも雲のぼうしがかかっている。トガリ山は、わしたちにてっぺんを見せたくないんだろうか。

日ざしはつよかったが、草原の上を風たちが気もちよく走りぬけていった。

トガリ山でうまれた風たちにちがいない。

頭の上を、シオカラトンボが風にのって飛んでいくのが見えた。この青い空も、吹いてくる風も、みんなじぶんのものだというような、すずしい顔をして飛んでいった。

わしは、ギボウシの葉の上にのぼって、ひと休みした。こしをおろして青い空を見あげていると、シオカラトンボがもどってきた。なにかようじがあるというわけでもなく、ただこのあたりをのんびり飛びまわっているらしい。あんなに自由に空を飛べたら、さぞ気もちがいいだろうなとわしは思った。

シオカラトンボは、ヘリコプターみたいに、羽を動

かしたまま、わしの頭の上にうかんだ。わしの鼻(はな)の先にとまるつもりでもあるまい。

「やあ」

声をかけると、シオカラトンボは、ただ目玉をくるくると動かしただけで、だまっている。

「空の上は、気もちがいいかい？」

わしがいうと、シオカラトンボは、ツーツーと一メートルほど飛んで、また空中にとまった。

「ぼくはこれから、あのトガリ山にのぼるんだ。きみは行ったことあるかい？」

わしがいうと、シオカラトンボはかた目をひねって、ちょっと考えた。それから、かすれたシオカラ声でいった。

「トガリ山なんかに、なにしに行くのさ」

なにしに、だって？　ふいをつかれて、わしはへんじにこまった。わしのとうさんだって、じいさんだって、ひいじいさんだって、トガリ山にのぼって一人前にな

ったといっていた。

「一人前になるために行くのさ」

わしが答えると、シオカラトンボは、またかた目をひねって考えている。

「それに、いつも雲にかくれているトガリ山のてっぺんを、きみは見てみたいと思わないのかい」

シオカラトンボはしばらく考えてからいった。

「おまえは、トガリ山のてっぺんを見ると、一人前になるのか」

へんじにこまることばかりいうトンボだ。

「べつに、そういうわけじゃないけど……」

わしが口ごもっていると、

「おれたちシオカラトンボは、シオカラいろになったら一人前さ」

シオカラトンボはむねをはって、シオカラいろのシッポを左右にふった。

「そんなところにうかんでないで、そこの花にでも

とまったらいいのに。きみがそうしていると、ゆっくり話せないじゃないか」

わしがいうと、シオカラトンボはおどろいたようにうかびあがった。

「おっと、その手にはのらないぜ。あいにく、おれは一人前のシオカラトンボさ。おまえがおれを食おうと考えていることぐらい、お見とおしさ。一人前っていうのは、そうかんたんにはだまされないってことさ」

シオカラトンボはそういって、ツーツーと飛(と)んでどこかへ行ってしまった。わしはそのとき、シオカラトンボを食べようなんて、まるで考えてなかったさ。だいたいわしは、シオカラトンボみたいにしおからそうなやつはすきじゃないんだ。

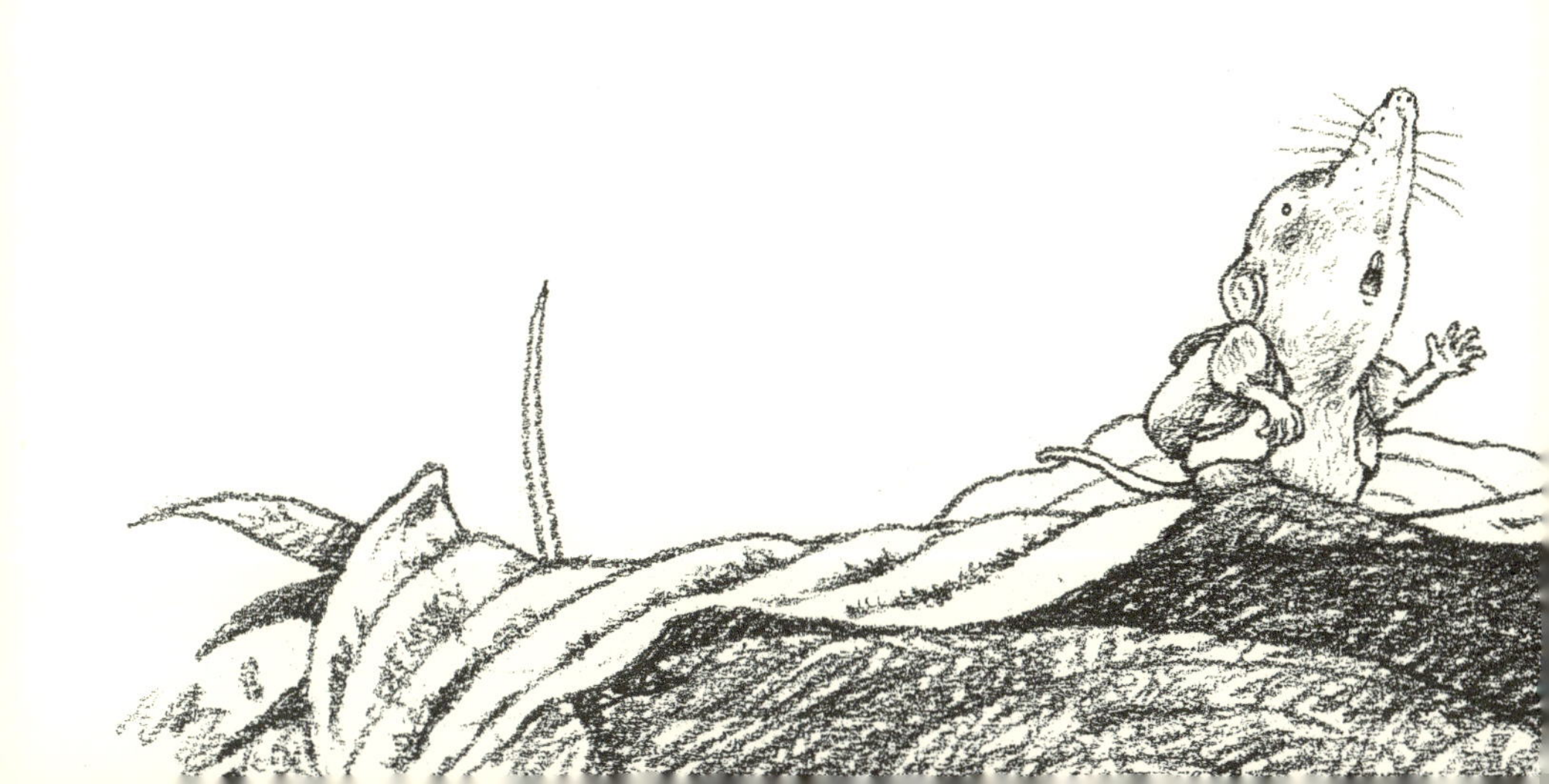

「一人前になるって、なんだかむずかしそう」

　キッキがいうと、

「一人前って、おとなになることだろ」

　セッセが、目と目のあいだにしわをよせていった。

「でも、おとなになると、みんな一人前っていうことになるのかな。一人前じゃないおとなもいるんじゃない？」

　キッキが、ゆびさきをあごにあてて考えた。

「そうか。おとなになれば、だれでも一人前になるんなら、トガリ山にのぼらなくても、一人前のトガリネ

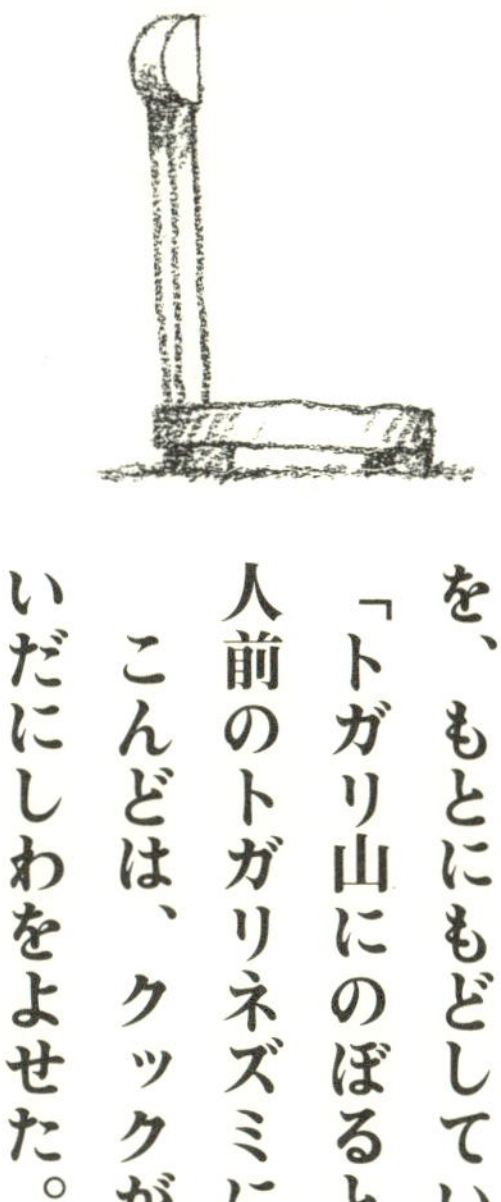

ズミになれるもんな」

セッセが、目と目のあいだのしわを、もとにもどしていった。

「トガリ山にのぼると、どうして一人前のトガリネズミになるのかな」

こんどは、クックが、目と目のあいだにしわをよせた。

「きっと、いろいろくろうするからよ」

キッキがいうと、

「くろうするからか」

クックがうなずいた。

「ぼうけんをすると、つよいトガリネズミになれる。それに、いろんなことを見ると、いろんなことがわかる。そうすると、だんだん一人前にな

なるんだよ」

セッセがいった。

「わかった。一人前って、なんでもひとりでできるってことじゃない」

キッキがいうと、

「じゃ、一人前の子どもっている？」

クックが、うわ目づかいにキッキを見た。

「なにそれ？」

キッキが、まゆげを八の字にしてクックを見た。

「そんなの、いるわけないだろ」

セッセが、ゆびでクックのおでこをつつくと、

「ぼく、ひとりでミミズを食べられるし、ひとりでねれるよ」

クックが、口をとがらせていった。

「まあ、クックは、一人前の子どもだわ。なんでもひとりでできるもんね」

キッキがふざけて、おかあさんみたいにいった。

「でも、まだ、ひとりでトガリ山にはのぼれないだろ」

セッセが、クックの顔をのぞきこんだ。クックは、目と目のあいだにしわをよせて考えた。

「ほら、やっぱり。クックはまだ一人前じゃないってこと」

セッセがわらった。

5　テントウムシのテント

さてでかけようと立ちあがると、ギボウシの花の中から、テントウムシが一ぴき顔をだした。下をむきかけている花のそとがわにはいあがると、まわりを見まわした。ひどくあわてているようすだ。「えい！」と小さくさけんでとびあがったが、足をすべらせてギボウシの葉の上にころがりおちた。

テントウムシは、ひっくりかえった体をもとにもどそうと、足をバタバタさせている。

「なにをそんなにあわてているのさ」

わしが、てつだってやろうと手をだすと、テントウムシは、きゅうに動くのをやめた。足をたたんで、あおむけのままじっとしている。

「どうしたんだい」

わしは、テントウムシの顔をのぞきこんだ。テントウムシはしっかりと目をとじ、ピクリとも動かない。死んでしまったのだろうか。さっきまで、あんなにあばれていたのに、きゅうに死んでしまうなんてへんだ。

もしかしたら、死んだふりをしているのかもしれない。そうにちがいない。きっと、わしに食べられてしまうと思ったのだ。シオカラトンボのいうことを立ちぎきしていたのだろう。わしは、テントウムシからゆっくりはなれて、ギボウシの葉の上にすわった。

「シオカラトンボも、テントウムシもぼくは食べない。ぼくが食べたいのは、ふとったミミズ。元気なバッタ、やわらかいカタツムリ」

わしは、わざとひとりごとをいって、テントウムシのようすを見た。テントウムシは、じっと動かない。

「青い空を見ていたら、いい気もちになって、なんだかねむくなってきたなぁ」

わしは、テントウムシが安心するように、ギボウシの葉の上に、ゴロリとよこになった。ほんとうにねむいわけではなかった。白い雲が、ゆっくりかたちをかえながら流れていくのが見えた。

しばらく、うす目をあけてようすを見ていると、テ

ントウムシがすこししょっ角を動かした。それから、目をあけ、ゆっくりと足を動かした。

「やっぱり、死んだわけじゃなかったんだ。生きていてよかったな」

わしは、半分おきあがり、すわったままテントウムシを見た。テントウムシは足をばたつかせ、羽をちょっとひらいて、ひっくりかえった体をもとにもどした。それから、なにかをさがすように、まわりをキョロキョロ見まわした。

「ほんとだよ、ぼくはきみを食べやしないよ」

テントウムシは、じっとわしを見つめて、

「ぼくを食べない、ほんと？」

しんぱいそうにいって、小さな目をクリッと動かした。

「ぼくとシオカラトンボの話をきいていたんだろう。あいつは、ぼくに食われると、かってに思いこんだだけさ。それに、さっきは、きみを食べようとしたんじ

やないんだ。おきあがるのをてつだおうと思ったんだよ。死んだふりなんかするから、びっくりするじゃないか」

「びっくりしたから、死んだふりをした」

テントウムシは、前足でしょっ角をこすった。

「ところで、シオカラトンボはああいってたけど、きみは、一人前になるってこと、どう思う」

テントウムシは、すこし考えて、

「一人前になるって、おとなになること?」

ゆっくりといった。

「うーん、それもあるけど、それだけじゃないような気もするんだ」

わしがいうと、テントウムシは、また、前足でしょっ角をこすって、

「ぼくは、テントウムシになった。もう、幼虫じゃない。だけど、一人前になったって気がしない」

といった。

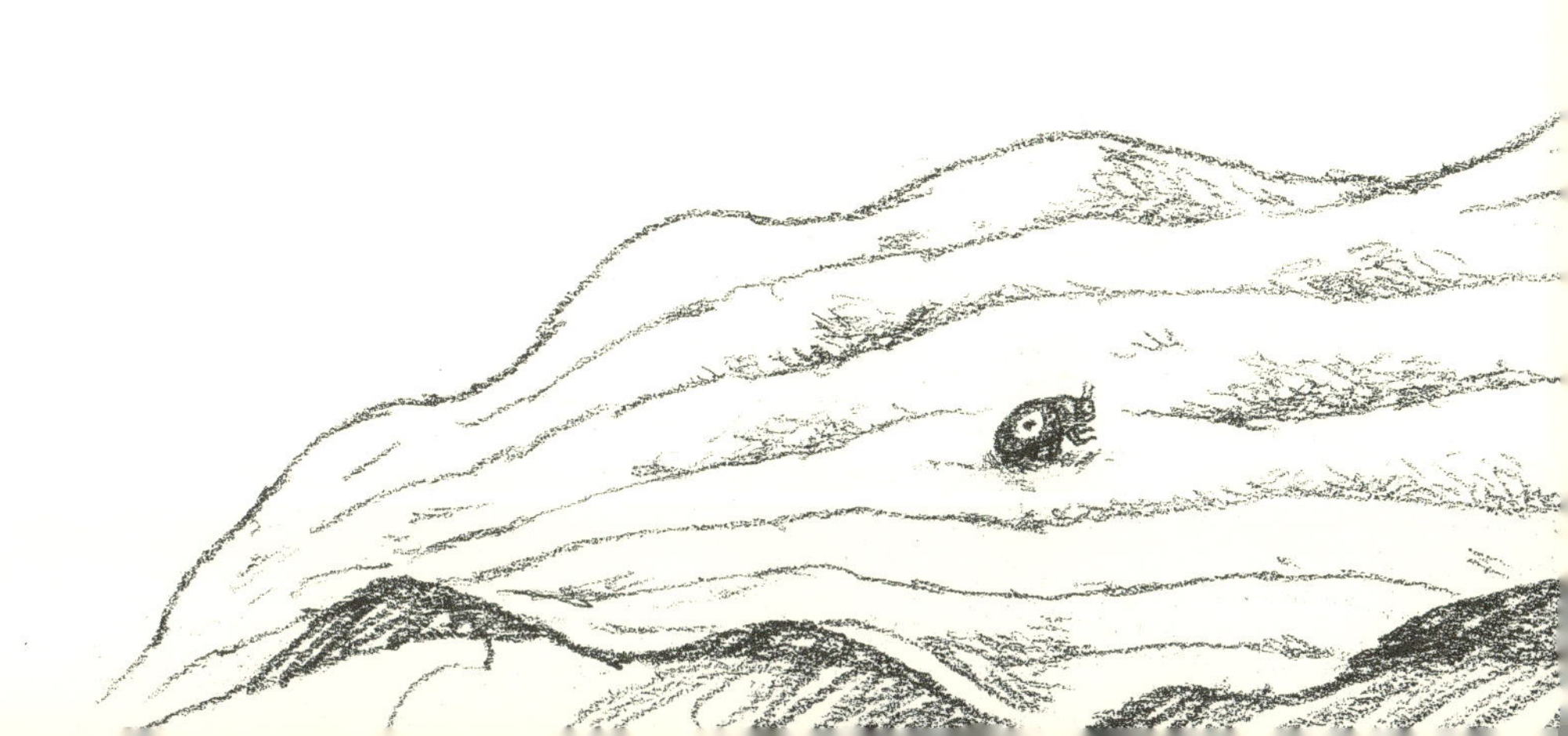

そうなんだ。わしもそのとき、そんなことを考えていた、もう、子どものトガリネズミじゃなかったが、一人前になったという気がしなかった。トガリ山にのぼれば一人前になれると、じいさんはいっていた。一人前になるって、どういうことなんだろう。

「ぼく、飛び立つとき、なにかのてっぺんがないとだめ。てっぺんからじゃないと、しっぱいして、ひっくりかえってしまう。このあいだ、アマガエルが見ていて、転倒虫、といってわらった。ぼく、まだ、一人前じゃない」

テントウムシは、前足をこすりあわせた。

「一人前って、むずかしいんだな。だけど、どうして、なにかのてっぺんからじゃないと、うまく飛び立てないんだろう」

わしは、テントウムシの小さな顔をのぞきこんだ。

「ど・う・し・て?」

テントウムシは、あわてて、前足でしょっ角をこす

った。

「てっぺんじゃないところからだと、足がすべるとか、羽がひっかかるとか、なにかわけがあって、しっぱいするんだろ？」

「わけ？」

テントウムシは、うでぐみをして、じっと考えて、

「てっぺんじゃないところから飛び立つのは、気分がわるい」

といった。

「そうか、そうなんだ。その、気分ってやつのせいなんだ」

たしかに、飛び立つなんてことは、むずかしいことだ。気分がよくなくちゃ、うまくできっこない。わしは思った。

「気分って、だいじなことなんだ」

わしがいうと、テントウムシも、パッと明るい顔になって、うでぐみをほどいた。

「てっぺんから飛び立つのは、いい気分。頭の上にはなにもない。あるのは天」

テントウムシはそういって、じぶんでうなずいた。

そのとき、わしは、テントウムシにとって、すばらしいことを思いついた。

「トガリ山のてっぺんから、飛び立ってみないか。きっと、さいこうにいい気分だぜ」

「トガリ山のてっぺん！」

テントウムシは、小さな目をかがやかせて、うしろ足で立ちあがった。

「そうさ。ぼくたちトガリネズミは、トガリ山のてっぺんにのぼると、一人前になるといわれている。テントウムシだって、トガリ山のてっぺんから飛び立ったら、一人前の、いや、世界一のテントウムシになれるかもしれないぜ」

「世界一のテントウムシ！」

テントウムシが、とてもよろこんだので、わしもつ

い、ホックホック、とうれしくなった。

　わしたちは、いっしょにトガリ山のてっぺんをめざすことになった。テントウムシの名前はテントといった。

　テントは、ギボウシの茎づたいに地面におり、しっぽづたいにわしの体をのぼってきた。

「テント、ぼくのてっぺんから、飛び立ってみる？」

　わしは背中のリュックにとまったテントにいった。

「トガリィのてっぺん？」

「そう。ぼくのてっぺん」

　わしが、てっぺんをつくると、テントは、わしの耳と耳のあいだをとおり、目と目のあいだをとおって、わしのてっぺんにとまった。鼻がくすぐったかった。

「えいっ！」

　テントは小声でいって、まっすぐ上に飛びあがった。青い空にうかんだテントの体の、赤いもんがピカリと光った。

「わぁ、テントウムシといっしょに、行くことにしたの、いいなぁ」

キッキがいうと、

「ぼくも、てっぺんつくろ」

とクックが上をむいた。

「おれも、おれのてっぺんから、テントウムシ飛ばしてみてぇな」

セッセも、てっぺんをつくっていった。

「テントウムシって、テントだけじゃなくて、どのテントウムシも、みんなてっぺんから飛び立ちたがるのかなぁ」

キッキがいった。

「おれ、テントウムシが、カヤの葉のてっぺんから飛び立つの見た」

セッセが、ゆびでてっぺんをつくっていった。

「ぼく、ぼうのてっぺんまでのぼったのに、また、もどってきちゃったテントウムシ見たことある。きっと、こわがりのテントウムシだね」

クックがわらった。

「きっと、テントウムシだって、いろんなのがいるよね。クックがいうように、こわがりのテントウムシとか、飛ぶのがすきじゃないテントウムシとか、たいらなところから飛ぶれんしゅうをしているテントウムシとか」

キッキが、トガリィじいさんの顔をのぞきこんだ。

「そうとも、テントウムシにだって、いろんなのがいるさ。あわてんぼうのテントウムシやのんびりしたテントウムシ、泣きむしや、おこりんぼうや、あまえんぼうや、がんばりやのテントウムシ。いろんなテントウムシとなかよくなると、みんながそれぞれちがうテントウムシだってことが、わかってくるんだよ」

トガリィじいさんがいった。

「テントって、どんなテントウムシだった？」

キッキがきいた。

「なかなか気のいい、かわいいやつさ。うむ、ことばではうまくいえないけどな」

トガリィじいさんは、めがねにちょっと手をやって、

「そうそう、テントウムシの背中のもんも、いろいろあるって、テントがいってた。黒じに赤いもんと、赤じに黒いもんがいるし、もんのかずも、おなじなかまのナミテントウでも、0から十九まであるんだそうだ。テントみたいに、目玉が二つ、みたいなもんもある」

「へえ、こんどテントウムシにあったら、もんのかずをかぞえてみよう」

セッセがいうと、

「赤じのもんなしテントウムシっていうのもいるのね」

キッキがウフッとわらった。

6 トノサマバッタのトノサマ

草原を歩いていくと、だんだんおなかがすいてきた。でがけに、ミミズを一ぴき食べたが、もうとっくに、おなかからでていってしまったらしい。わしは、若いころから、おなかがすくと、まるで体に力が入らなくなってしまうたちでな。だから、なるべく早くごちそうを見つけて食べなければ、と思った。

リュックサックには、ほしたミミズが入っていた。だが、それは食べるものがないときの、ひじょう食だ。生きた食べものをつかまえることができるときは、それを食べたほうがおいしいし、元気がでる。

「ぼく、おなかがすいたから、そのへんでミミズでもさがそうと思うんだ。テントは、なに食べるんだ」

わしは背中のテントにきいた。

「ぼくがすきなのは、アブラムシ。ぼくもどこかで食べてくる。また、てっぺんかして」

そういって、テントはわしのてっぺんから飛び立っていった。

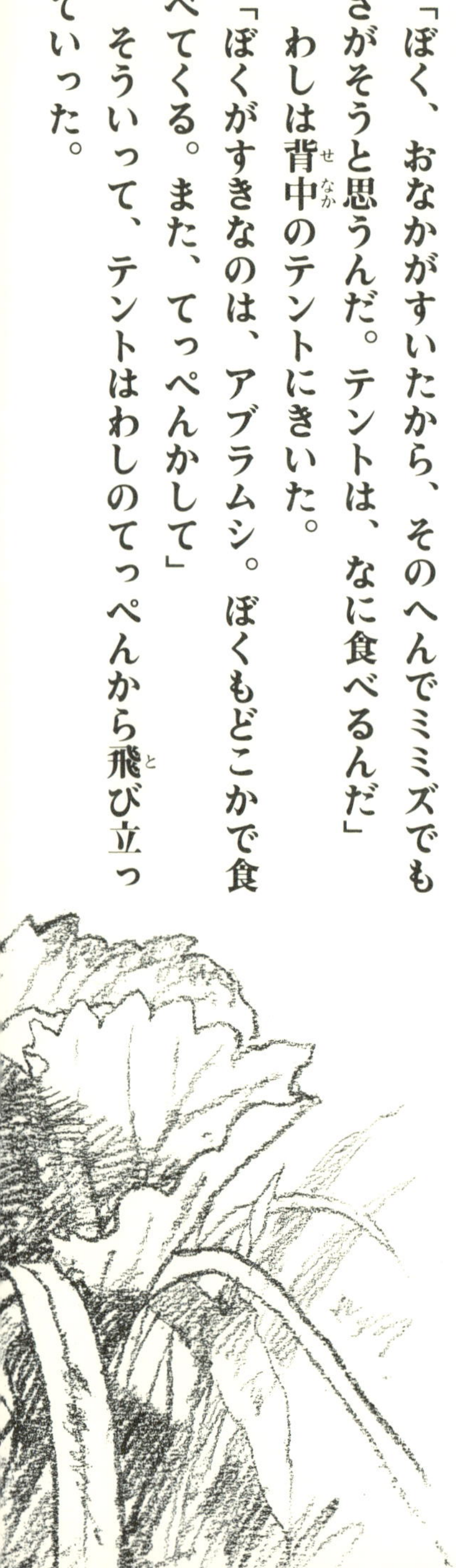

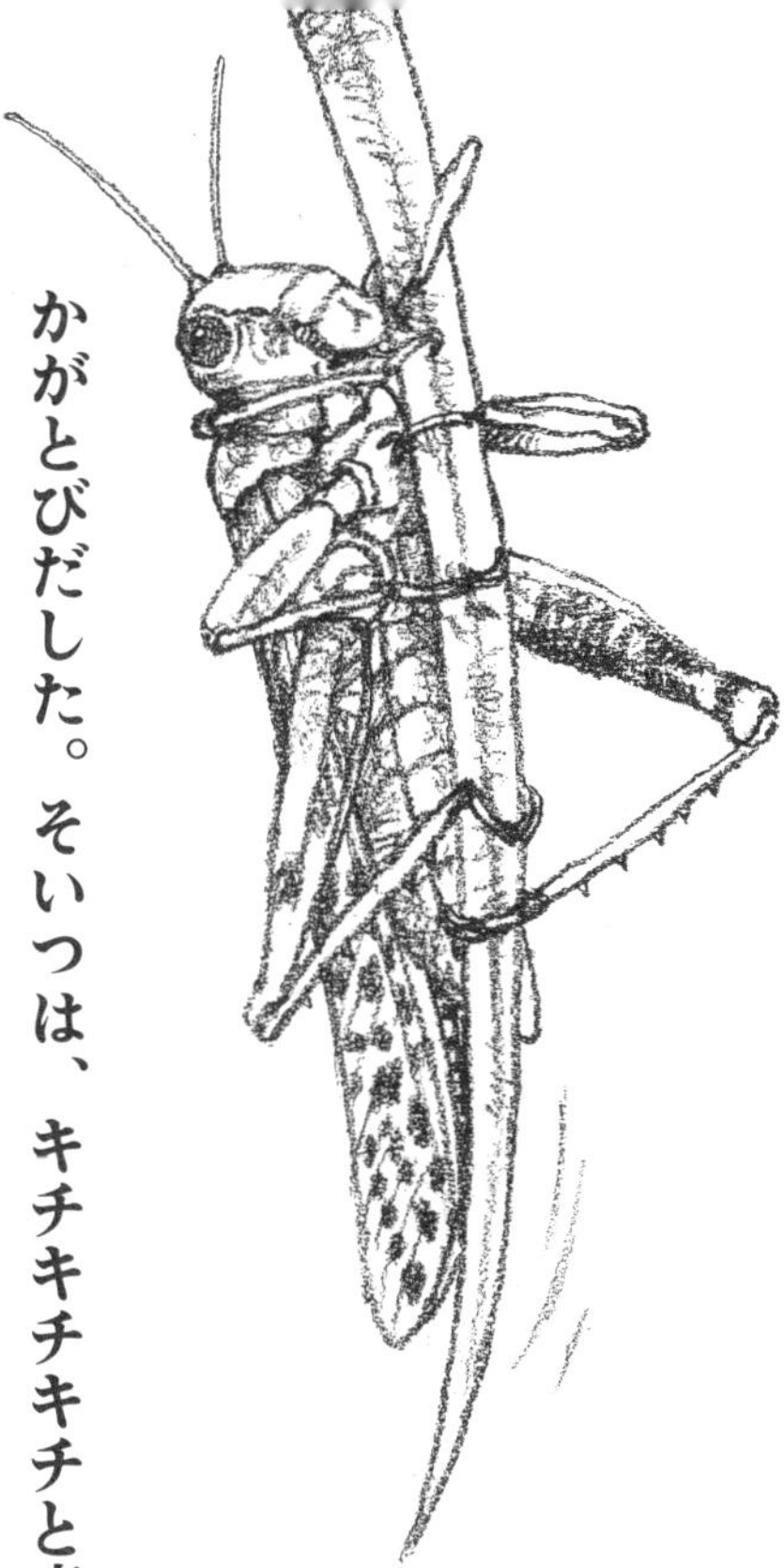

ミミズでもさがそうと、トゲだらけのノイバラのツルをまたいだときだ。左手の草むらから、ふいになにかがとびだした。そいつは、キチキチキチと音をたてて、目の前をよこぎった。わしは、あぶなく、足にノイバラのトゲをさしてしまうところだった。

見ると、それはとくべつ大きなトノサマバッタだった。ツリガネニンジンの葉につかまりそこなって、すぐわきのカヤの葉にしがみついてゆれていた。よく太って、それはうまそうなバッタだった。わしは、ミミズをやめて、そのバッタを食べることにきめた。

気づかれないように、わしはバッタのうしろからそっと近づいた。太った体のかげになって、バッタにはわしが見えないらしい。わしは思いきりジャンプをして、バッタの背中にとびついた。

いきおいあまって、わしとバッタは地面にころがりおちた。

「ぶれいもの。なにをする。おれさまは、トノサマバッタのトノサマであるぞ」

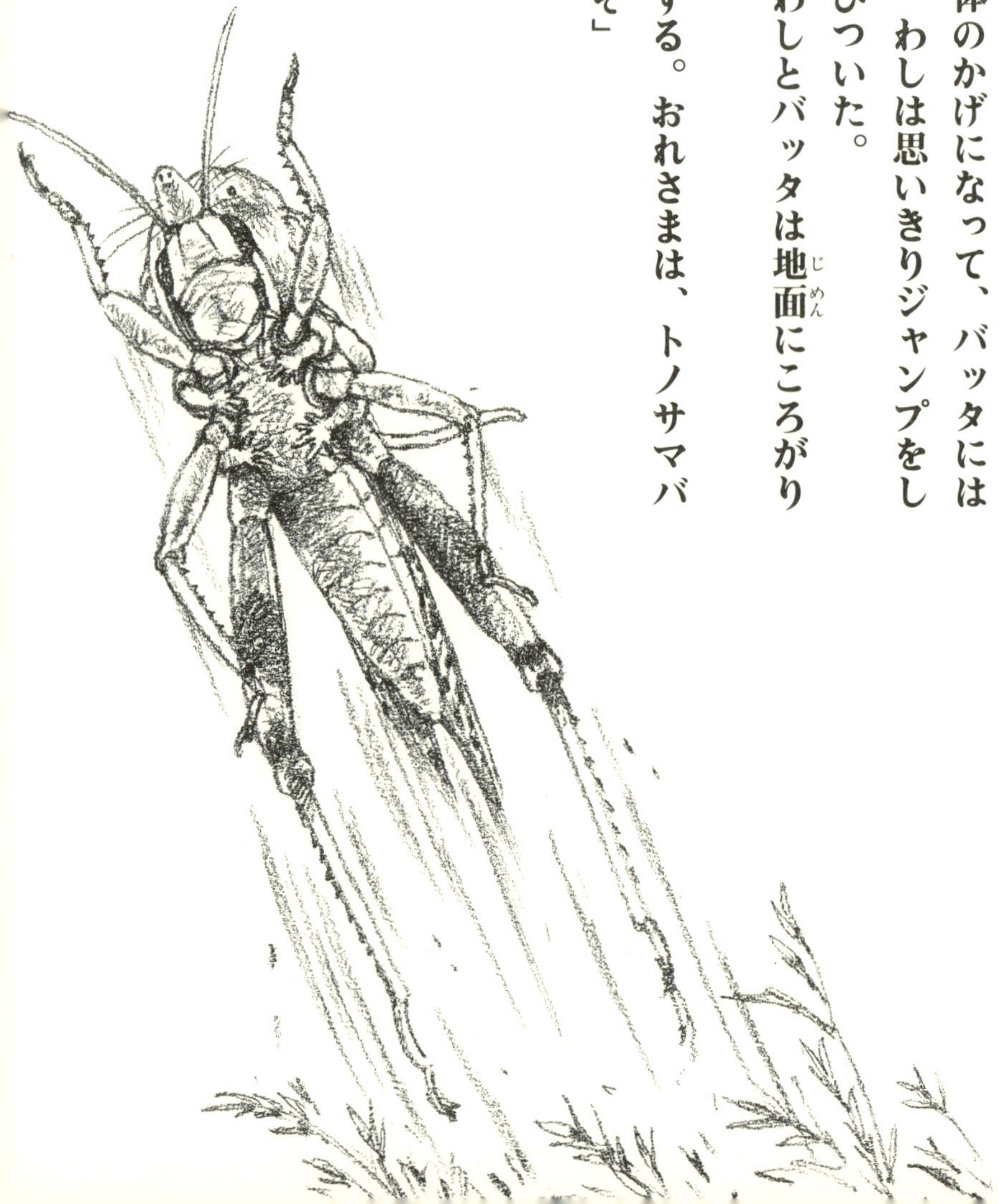

バッタが大声でどなった。

「ぶれいもの、ぶれいもの」

バッタはよこになったまま、わしをふりおとそうと、足をバッタバッタさせた。せっかくつかまえたごちそうを、そうかんたんににがしてなるものか。わしは両(りょう)手両足(てりょうあし)で、しっかりとバッタにしがみついた。

「ぶれいもの。なにものだ」

バッタは大声でさけぶと、体をたてなおし、うしろ足で地面をつよくけった。わしとバッタは、草の中をななめにぬけて、空中にとびだした。わしを背(せ)おっているのにたいした力だ。

だが、わしの足がじゃまになって、バッタの羽(はね)が半分でかかったままひらかない。わしとバッタは、また草むらの中へつっこんだ。

「トノサマバッタのトノサマは、トノサマの中のトノサマであるぞ」

バッタは、エノコログサにしがみついてさけんだ。

わしとバッタは、おじぎをくりかえすエノコログサといっしょに、何回もおじぎをした。エノコログサがやっとおじぎをやめると、バッタはうわ目づかいにわしを見て、

「これ、背中からおりるんだ」

と、ケライに命令するみたいにいった。これから、わしに食われてしまうというのに、まだいばっている。いくらトノサマの中のトノサマだって、トガリネズミのわしにはかなうまい。このまましがみついていれば、そのうちつかれて、おとなしくなるにちがいないと思った。

「これ、おりろといったらおりろ！」
バッタはさけぶと、また大きくジャンプした。はずみで、わしの足がバッタの体からはずれて、わしは手だけでバッタの首にしがみついた。バッタは羽を広げた。キチキチキチと音をたてて、バッタはわしをのせたまま、草原の上を飛んだ。

わしは、はじめて空を飛(と)んだ。いい気分といいたいところだが、はじめはそれどころではなかった。ふりおとされまいと、バッタにしがみつくのがやっとで、けしきをながめているひまなどなかった。

トノサマの中のトノサマというだけあって、なかなかたいしたバッタだ。わしを背中(せなか)にのせているのに、ヘタバッタともいわない。

そのうち、なんとか両足(りょうあし)でバッタの体をはさむことができた。前を見ると、草原のむこうにトガリ山が見えた。これはうまいぞ。バッタはごちそうだけでなく、ひこうきにもなるんだ。わしは、バッタがトガリ山にむかってとぶように、そうじゅうしてやろうと考えた。

だが、バッタのそうじゅう法(ほう)は、そうかんたんではなかった。

バッタが左にむきはじめたら、わしの体を右にかたむけて、むきをなおす。バッタが右にむきはじめたら、わしの体を左にかたむける。このやりかたで、はじめのうちはうまくいった。ところがバッタは、トノサマのトノサマだ。ただ背中(せなか)にのっているだけでなく、わしがバッタをそうじゅうしようとしているのに気がつくと、もう、カンカンになっておこりだした。

トノサマが、じぶんが行こうとしているのとはちがう方へむかって、そうじゅうされるなんて、トノサマ

としてがまんができなかったのだ。わしが体を右にかたむけると、むきになって、ますます左へまがる。わしが体を左にかたむけると、きゅうに羽(はね)をたたんで、わざと草むらの中へおっこちてしまう。

じぶんの考えをもっているひこうきを、そうじゅうするってことは、やっかいなものだ。どんなにじょうずなそうじゅうしでも、ひこうきとなかよくしなければ、思うところへ飛(と)んでいけない。

わしが背中からおちるどころか、そうじゅうしようなどとするものだから、バッタは草原の中の小道におりた。

「これ、おりろといったらおりろ！いうことをきかぬか」

バッタは、みどりいろの顔をまっかにしてどなると、こんどは羽を広げずに、ジャンプをはげしくくりかえした。わしの体は、バッタといっしょに草むらから空中へとびだしたと思うと、すぐまた地面にむかってつっこんだ。

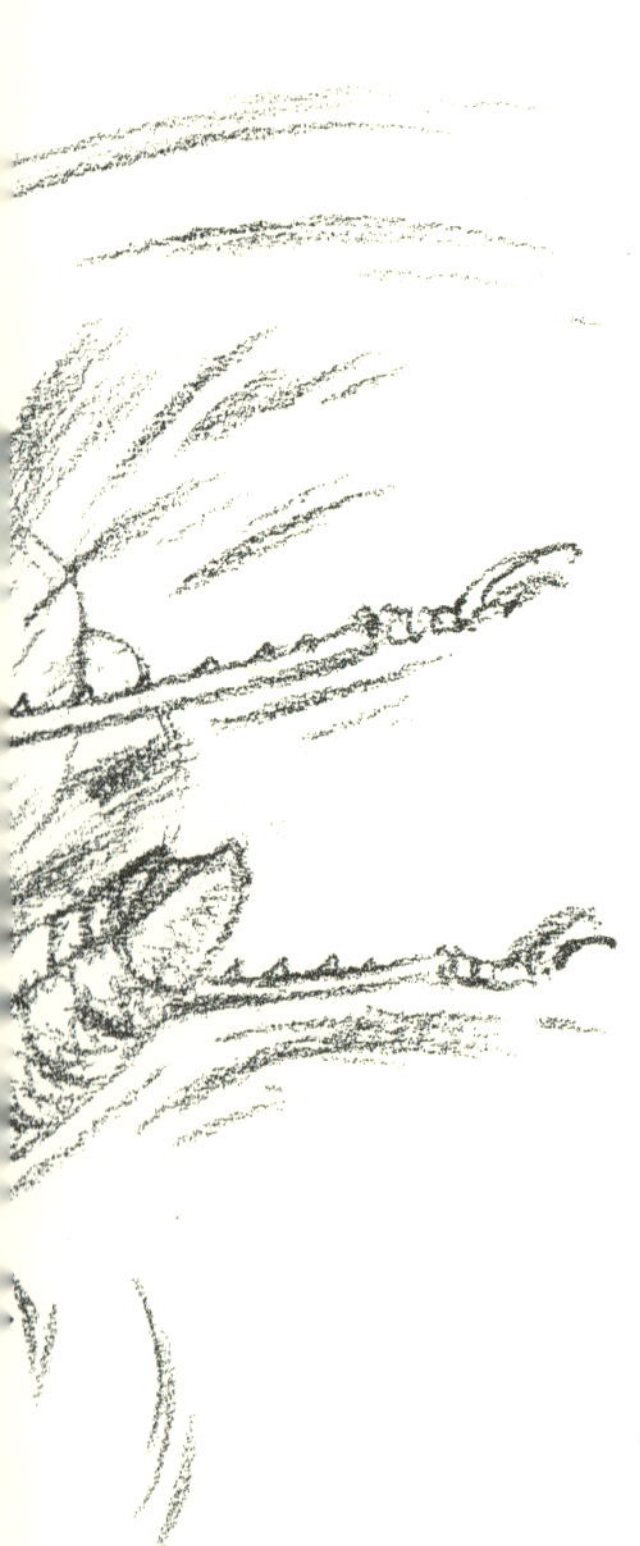

こうなったら、バッタが先にへたばるか、わしの力が先にぬけるか、がまんくらべだ。

さすがの大バッタも、だんだんつかれてきたらしい。すこしずつ、ジャンプがひくくなっていった。それに、顔だけでなく、目玉まで、グミの実みたいに赤くなってきた。

わしのほうだって、息はきれるし、のどはかわくし、もうおなかはペコペコ、もうすこしで、すっかり力がぬけてしまいそうだった。

そのうち、バッタは、草の背たけまでもとびあがれなくなり、ジャンプするたびに、体が右に左にかしぐようになった。

とうとうバッタは、わしを背おったまま、バッタリとたおれた。

バッタは、あおむけにひっくりかえって、虫の息だ。そういうわしはもっとたいへん、バッタの下じきになって、ハアハアいっている。まるで、大バッタをだっこしているみたいなかっこうだ。おもくてしかたがない。

このまま力がぬけたら、バッタをにがしてしまう。いままでのくろうが水のあわだ。わしは、そのままバッタにかぶりついた。

アリがきて、ゆずってくれというものだから、足を二本あげた。あとはのこらず、きれいにたいらげた。

そこへ、ちょうどテントがかえってきた。

「やっと見つけた」

テントは草のほさきにとまると、ゆれながらいった。

「ひとりで先に行っちゃうから、ずいぶんさがした」

「ごめんごめん。ごちそうがとんだりはねたり、大あばれでここまできてしまったんだ」

「ミミズがとんだの」

「ちがうちがう。きょうのおひるごはんは、トノサマバッタだったんだ」

「ふーん」

テントはうなずくと、アリたちの方に目をやった。

アリたちは力をあわせて、おもいバッタの足をひきずっていくところだった。

わしたちは、草むらのかれ草にもぐりこんで、ひとねむりすることにした。食後のひるねというわけだ。

大バッタとかくとうして、つかれていたんだ。目をつむるとすぐ、ぐっすりとねこんでしまった。

目がさめると、わしの体はすっかり元気になってい
た。トノサマバッタの元気が、わしの体の中で、わし

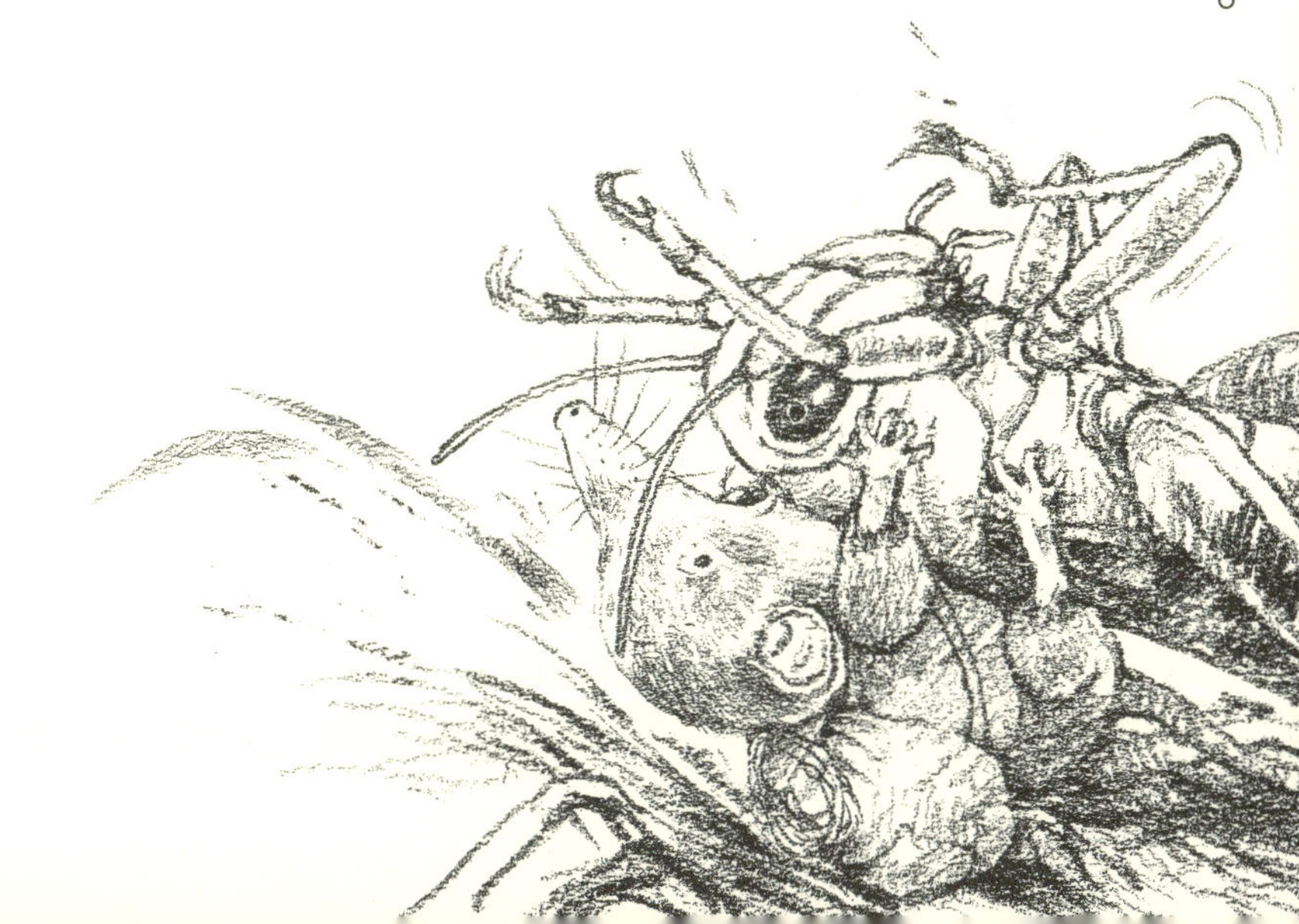

の元気になったのだ。

リュックの上にテントのすがたが見えないので、さがしてみると、テントのやつ、リュックのポケットの中で、スースーね息をたてている。わしは、テントをねかせたまま、リュックをかついで出発した。

草原の小道にでると、あたりのようすをうかがった。大バッタが、ほんとうにトノサマバッタのトノサマなら、ケライのトノサマバッタがいて、かたきをうちにくるかもしれない、なんて思ったからだ。だが、ケライのバッタは一ぴきもすがたをあらわさなかった。カヤの根もとで、小さな黒いコオロギが、不安そうにわしを見つめているだけだった。

草原の中の岩の上にのぼって、トガリ山の方向をたしかめた。トガリ山は、バッタにであう前よりずっと近くなっていた。わしは、おなかの中のバッタにかんしゃした。

「トノサマバッタのケライって、ほんとにいるのかな」

クックがいうと、

「いるかもしれないけど、トノサマバッタのケライは、ケライでもトノサマなんじゃないの」

と、セッセがわらった。

キッキはひとり考えこんで、

「ふーん、元気って、食べられるものなのね」

と、つぶやいた。

「そうさ、わしらは、元気な生きものを食べて元気になる。バッタも、ミミズも、イモムシも、元気なやつほどうまい」

トガリィじいさんがいった。

「ふーん、元気って、うまいの」

クックが、かんしんしていった。

「それじゃ、元気なバッタは、元気な草を、うまいうまいと食べている」

セッセが、元気な声でいった。すると、

「元気な草は、元気な……、えーと、元気な……」

クックがいいかけて、むずかしい顔で考えた。キッキとセッセも顔を見つめあって考えた。

「元気な土を、うまいうまいと食べている」

セッセがいうと、

「元気な水を、うまいうまいと食べている」

と、キッキがいった。すると、

「元気な水は、元気な……、えーと、元気な……」

　また、クックがいいかけて、むずかしい顔で考えた。キッキとセッセも、また顔を見つめあった。

「元気な水は、元気な空気を、うまいうまいと食べている」

　セッセがいった。すると、

「元気な空気は、元気な……、えーと、元気な……」

　また、クックがいいかけて、むずかしい顔で考えた。キッキとセッセも、また顔を見つめあった。

「元気な空気は、元気な森を、うまいうまいと食べている」

キッキが、考えながら、ゆっくりといった。

「元気な森は……」

クックがいいかけたとき、

「もう、いつまでたってもきりがないよ」

と、セッセがクックの口を手でふさいだ。

「みんなが元気じゃないと、みんなが元気になれないんだね。トガリネズミもバッタも、草も森も、水や空気も、みんないっしょに生きているということでしょ」

キッキがいうと、トガリィじいさんが、三びきの顔をじゅんに見てうなずいた。

7

ウソの話はうそ?

ときどき草原の上を、いそぎ足で走っていく風の音とはべつに、遠くで、風のうなる音がきこえてきた。トガリ山でうまれた風が山をかけおり、森を吹きぬけていくところだろうと思った。

うまれたての元気のいい風たちにちがいない。音はだんだん近づいてくる。もう、森をぬけて草原までやってきたのだろうか。

「テント、おきているかい」

わしはリュックのポケットでねていたテントに声をかけた。

「おきてる、ぼく」

「風の音、きこえるかい」

「風の音?」

「そのまま、そこにいろ。つよい風がきたら、飛ばされてしまうぞ」

わしがかまわず歩いていくと、風の音はどんどん近くなって、ドドォー、ドドォーと地面をゆらしはじめ

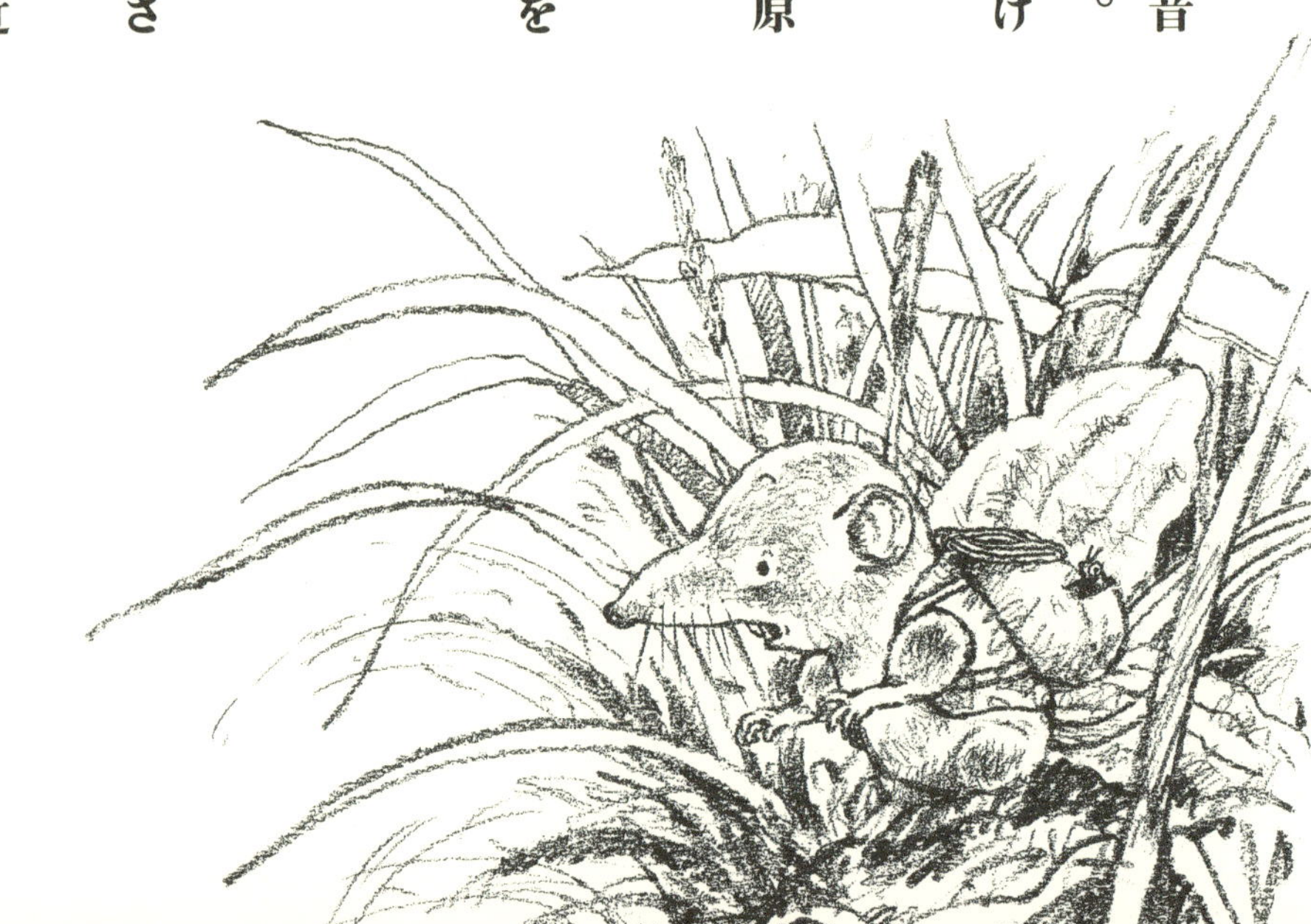

た。

草がなくなって、目の前がきゅうにひらけた。風は吹いてこなかった。音だけががけの下からかけあがってきた。それは谷川のうなり声だった。

ふかい谷が口をあけていた。

「風じゃない、谷だ。ほら、テント見てごらん」

テントは、リュックのポケットをでて、わしの頭にのぼって、谷をのぞきこんだ。

岩と岩のあいだを、水たちが、おしあい、ぶつかりあい、くだけちりながら走っていく。音はしぶきといっしょに、岩のかべをかけあがって、わしの体をつきあげた。

ドドォー、ドドォーという谷川のうなり声に、すっぽりつつまれたまま、わしたちは岸のほそい道をすすんだ。

とつぜん、黒いかげが、わしたちの上におおいかぶさってきた。なんだろうと考えるまもなく、わしは夢中で、谷とはんたいがわの草むらの中にとびこんだ。黒いかげは、ヒュッ、ヒュッ、というするどい音をのこして、わしの頭の上をとおりこして、谷の方へ飛びさった。

鳥だった。谷の音で羽の音がけされて、すぐ近くにくるまで気がつかなかったのだ。

草むらにとびこんだひょうしに、テントも草むらの中にほうりだされたらしい。すがたが見えない。

「テント」

わしが小声でよぶと、アザミの葉かげから、大きなカマキリが顔をだした。カマキリは、食べかけのショウリョウバッタをカマでつかんでいた。三角の顔を動かして、わしを見た。

「鳥のやつ、ねらいは、あたしじゃなくてトガリネズミだったんだね。ぶっそうなことだよ。ゆっくり食事もできやしない」

カマキリは、また、三角の顔を動かして空を見あげ

た。そのとき、アザミの根もとの、かれ草の下から、テントがでてきた。テントはかれ草の上を走って、わしのシッポから頭へもどった。

「トガリィ、あぶなかった」

「うん、あぶなくさらわれるところだった」

しばらくようすを見ていたが、鳥はもどってこないようだった。

「あんたたち、はやくどこかへ行ってくれないかい。いま、あたしは食事中なんだから」

カマキリが、いらいらしながらいった。きっと、わしのことが気になったのだろう。わしがトノサマバッタを食べたばかりだってことは、しらないいからな。わしたちは、岸のほそい道にもどった。

谷のむこうがわは、ふかい森になっていた。岸の道をすすんでいくうちに、トガリ山は、森のかげになって見えなくなった。

「トガリ山へのぼるには、どこかでこの谷をわたって、森の中の道を行かなければならないはずだよ」

「ぼくは飛(と)べるけど、トガリィはどうやってわたる？」

「どこか、わたれるところをさがさなくては」

わしたちは、ときどき谷そこを見おろしては、わたれそうなところをさがした。谷の流(なが)れは、はげしく水しぶきをあげて、岩のあいだをかけおりていく。わたれそうなところはなかなか見つからなかった。

しばらく行くと、岸(きし)に大きな岩があるのが見えてきた。まっ黒な岩で、がけっぷちに、いまにもころがりおちそうになって立っていた。道は、岩のまわりを半分まわって、先へつづいていた。

なんだか、みょうな岩だった。わしは岩のそばまで行くと、立ちどまってながめた。

「この岩、なんだかへんだと思わないかい」

わしがいうと、

「この岩？へん？」

頭の上のテントがつぶやいた。

「たしかに岩だけど、なんだか、生きものみたいに見えないかい」

「生きもの？」

「ほら、なにか大きな生きものが、うずくまっているように見える」

「うずくまっている？」

わしとテントは、草の中にころがっていた小さな岩にのぼって、へんな岩を見あげた。

「そうだ、サルだ」

わしは、思わずさけんだ。大きなサルが、岩になってうずくまっているように見えた。

「サルだ、そうだ」

テントも、やっとわかったらしく、さけんだ。

「あそこが目、あそこが肩（かた）、ほら、左手をあごにあてている」

「ほんとだ、あてている」

よく見ていると、ますますサルに見えてくる。

「岩のサルだから、イワザルだね」

わしがいうと、

「イワザルだから、だまっている」

テントがいった。

「イワザルの頭の上にのぼれば、トガリ山が見えるんじゃないかな」

しばらく、トガリ山を見ないで歩いてきたから、方向がしんぱいになってきた。

「ぼく、見てくる」

わしは、てっぺんをつくってやった。「えいっ」テントは小さくさけんで飛び立った。

イワザルの頭のあたりまで飛んでいくと、テントはすぐにもどってきた。

「見える、見える、トガリ山が見える。てっぺんが見える」

テントが、声をはりあげてさけんだ。

「なに、てっぺんが見える！」

わしは、それまで、トガリ山のてっぺんを見たことがなかった。いつだって雲がかかっていて、めったに見ることはできないんだ。わしも、トガリ山のてっぺんが見たくなった。だが、イワザルの体は、つるつるすべりそうで、よじのぼるのは、とてもむずかしそうだ。どこか、のぼれそうなところはないかと、イワザルの体を見まわした。

イワザルの足と足のあいだに、せまいすきまがあった。そこから、体の中に入っていけそうだった。

「ちょっと、中を見てみよう」

テントを頭にのせて、岩のあいだをすりぬけると、中はあんがい広くなっていた。ドドォー、ドドォーと鳴っていた谷川の音が、きゅうにしずかになった。

「あっ、あそこ、光ってる」

テントがいった。見あげると、ずっと上の方から、わずかに、みどりいろの光がさしこんでいた。イワザ

ルの体の中は、やわらかいコケにおおわれていた。空気は、もう何年も動いていないように、おもくしめっていた。

「あそこから、そとへでられるかもしれない」

「ぼく、ようすを見てくる」

テントは、うすくらがりの中で、わしのてっぺんから飛び立った。

テントの体は、みどりいろの光の中で、小さな黒い点に見えた。

光の入口につくと、テントがさけんだ。

「そとが見える」

テントのすがたは、光の中にきえた。でも、すぐにもどってきて、また、さけんだ。

「ここから、トガリ山は見えないけど、イワザルの頭の上にのぼれそうだよ」

「よし、なんとか、そこまで行くから、まっててくれ」

わしの声は、イワザルの体の中で、ウォーンウォー

ンとひびいた。

わしは、ふかふかのコケにつかまりながら、ゆっくりのぼっていった。

光の入口は、わずかなすきまだった。そとにあふれる光が、すきとおるようにかがやいていた。だが、すきまは、思ったよりせまくて、わしがそとにでるのは、とてもむりだった。

すると、下の方で、テントの声がした。

「ここだったら、トガリィも、でられる」

声のする方におりていくと、よこあながあり、そこからも、わずかに光がさしこんでいた。

「トガリィ、ここ、ここ」

そとで、テントの声がした。わしひとり、やっとでられるくらいのあながあいていた。

そとの光はまぶしかった。イワザルの体の中にいたのは、みじかい時間だったけれど、森のみどりいろが、前よりも、ずっとかがやいて見えた。テントの体の赤いもんが、光をあびて、あざやかにもえていた。

わしたちは、ドドォー、ドドォーとうなる谷川の音の中にもどってきた。風が、わしのひげにさわっていった。

すきまからでて、一だんおりたところが、ベランダのようになっていた。見おろすと、岸にいたときより、谷の流れはずっと下に見える。うしろをふりかえると、すぐそこに、イワザルの大きな顔があった。わしたちは、イワザルの口からそとにでて左手の上にいたのだ。イワザルは、とてもかなしそうな顔をしていた。

「そこから、肩にのぼれば、首のうしろから、頭の上へ行ける」

テントがいった。

「よし、のぼってみよう」

わしは、トガリ山のてっぺんが、まだ見えているかどうか、しんぱいだった。

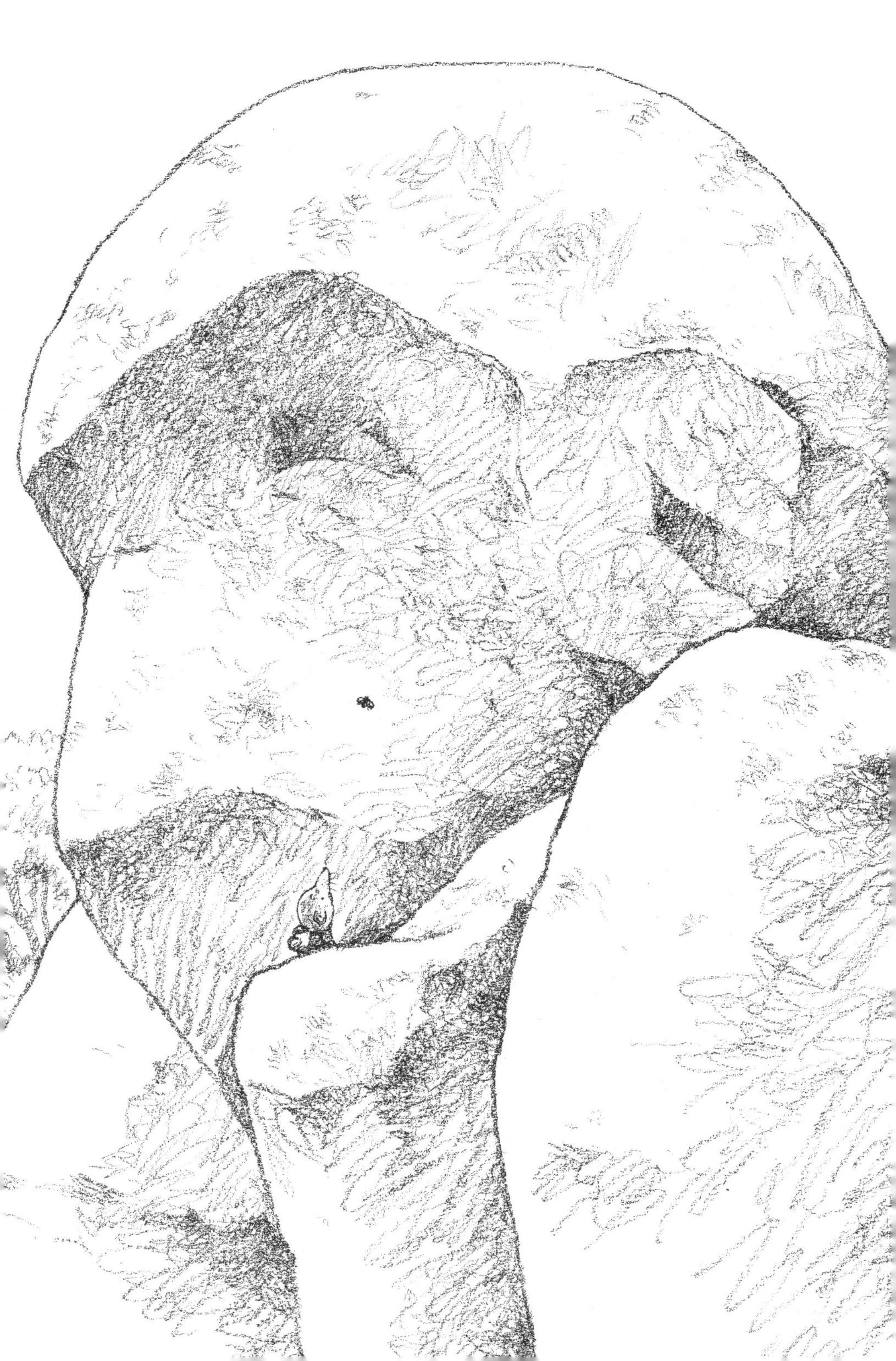

わしたちが、イワザルの肩にのぼったときだ。さびしげな、口ぶえのような音がきこえてきた。テントは、わしのしっぽをよじのぼって、リュックの上にとまった。

「あれ、なんの音？」

テントはしんぱいそうにいった。イワザルが、鼻で息をしているようにも思えた。

肩の上からイワザルのよこ顔が見える。下のまぶたに、水がたまって光っている。まるでなみだみたいだ。かなしそうな顔は、泣いているのだろうか。

口ぶえのような音は、イワザルの鼻からではなく、頭の上からきこえていた。わしは、肩から首のうしろにまわって、頭の上へでた。

トガリ山のてっぺんは、見えなかった。もう、いつものように雲のぼうしがてっぺんをかくしていた。

頭の上に小鳥が四羽とまっていた。

ウソだ。うそじゃないぞ。ウソという名の鳥だ。口

ぶえのような音は、ウソたちの鳴き声だったのだ。ウソたちは、わしを見ておどろいたのか、あわててまいあがったが、またすぐおりてきた。

「あんた、だれだい」

ほおの赤い、オスのウソがいった。

「ここへ、なにしにきたのさ」

黒いぼうしをかぶったような、メスのウソが、かた目でわしを見ていった。

リュックの上のテントは、あわててポケットにもぐりこんだ。

「ぼく、山のふもとのトガリネズミだよ。トガリ山にのぼるとちゅうなんだ」

四羽(わ)のウソは、ものめずらしそうに、わしをながめていた。

「トガリ山にのぼるって、おまえ、ほんとか」

オスのウソが、しんじられないという顔でいった。

「ほんとさ。あの、雲の上のてっぺんまで行くつもり

だよ」

わしがいうと、ウソは、

「やめたほうがいいと思うね。おれたちのなかまでも、トガリ山をめざしたやつがいたが、どいつも、ふかい霧につつまれたり、つよい風にうたれて、とちゅうでかえってきた。谷におちて死んじまったのもいたそうだ。鳥にだってむりなことを、おまえのような小さなネズミには、できっこないさ」

ずいぶんしつれいなことをいう鳥だ。わしはちょっとはらがたった。

「そんなことはないさ。ぼくたちは、ずっとむかしからトガリ山にのぼってきたんだ。ぼくのとうさんだって、じいさんだって、みんな若いころに、トガリ山のてっぺんへのぼったのさ。それに、トガリネズミは、このトガリ山からうまれてきたんだ」

わしがむきになっていうと、オスのウソがニヤニヤしながら、

「ウソにうそをつくやつもめずらしい。まあ、気をつけて行くんだね。ところで、このイワザルが泣いているわけをしっているかい」

といった。

「そんなこと、しるもんか」

ほんとのことをいったのにうそといわれて、ますますはらがたったので、わしはぶっきらぼうに答えた。

するとウソがこんな話をした。

「もうずいぶん昔のことだというが、このサルに三びきの子どもがいた。ぼうけんずきの三びきは、つぎつぎにトガリ山にのぼるといっては、でかけていったそうだ。母ザルは、じっとこの谷の岸にすわって、子どもたちのかえりをまっていた。ところが、子どもたちは、いくらまってもかえってこなかった。やがて母ザルは、だれが話しかけても、ひとこともしゃべらなくなったそうだ。なにもいわずに、いつまでもいつまでもまっているうちに、サルはとうとうイワザルになってしまった

のだ。いまでも、このイワザルは、ときどき立ちあがっては、はるかなトガリ山のてっぺんを見あげて、子どもたちのすがたをさがすということだ。うそじゃない。おれもこの目で立ちあがるところを見たことがあるんだ」

　のこりの三羽（ば）のウソが、ニヤニヤしながらきいているところをみると、どうもうその話のような気がした。

「じゃ、ぶじかえってくることをいのっているよ」

　ウソはそういうと、ヒューヒューと口ぶえをふきながら谷をわたって、森の中に飛（と）びさった。

「いまの話、ほんと？」

　ウソたちが行ってしまったので、テントはほっとして、リュックのポケットからでてきた。

「ウソの話だから、うその話にきまってるさ」

　わしはトガリ山をながめた。てっぺんにかかった雲が、さっきより大きくなって、森の上にまで広がっていた。

「あっ、タカ！」

テントがさけんだ。

空を見あげると、タカが空をゆっくりまわっているのが見えた。えものをさがしているのだろう。さっき、わしたちをおそったタカかもしれない。イワザルの頭の上はきけんだ。わしは、頭のうしろから首づたいに肩（かた）におりた。耳の中を見ると、わしとテントがゆっくり入れるようなあながあった。ここなら、タカもおそってこないだろう。わしはイワザルの耳の中にもぐりこんだ。

耳の中はにぎやかだった。谷川の音や、風の音や、虫たちの声や、鳥たちの声が、そとにいるときより、はっきりきこえてくる。

タカの羽（はね）の音をききのがさないように気をつけて、耳をすました。だがタカがおそってくるようすはなかった。

じっとしていたら、わしはねむくなってきた。

「ウソの話はいつもうそ？」

「ウソはほんとをいわない？」

「ウソはかわいそう」

よこにおいたリュックの上でテントがぶつぶついっていたが、わしはいつのまにか、ねむってしまった。

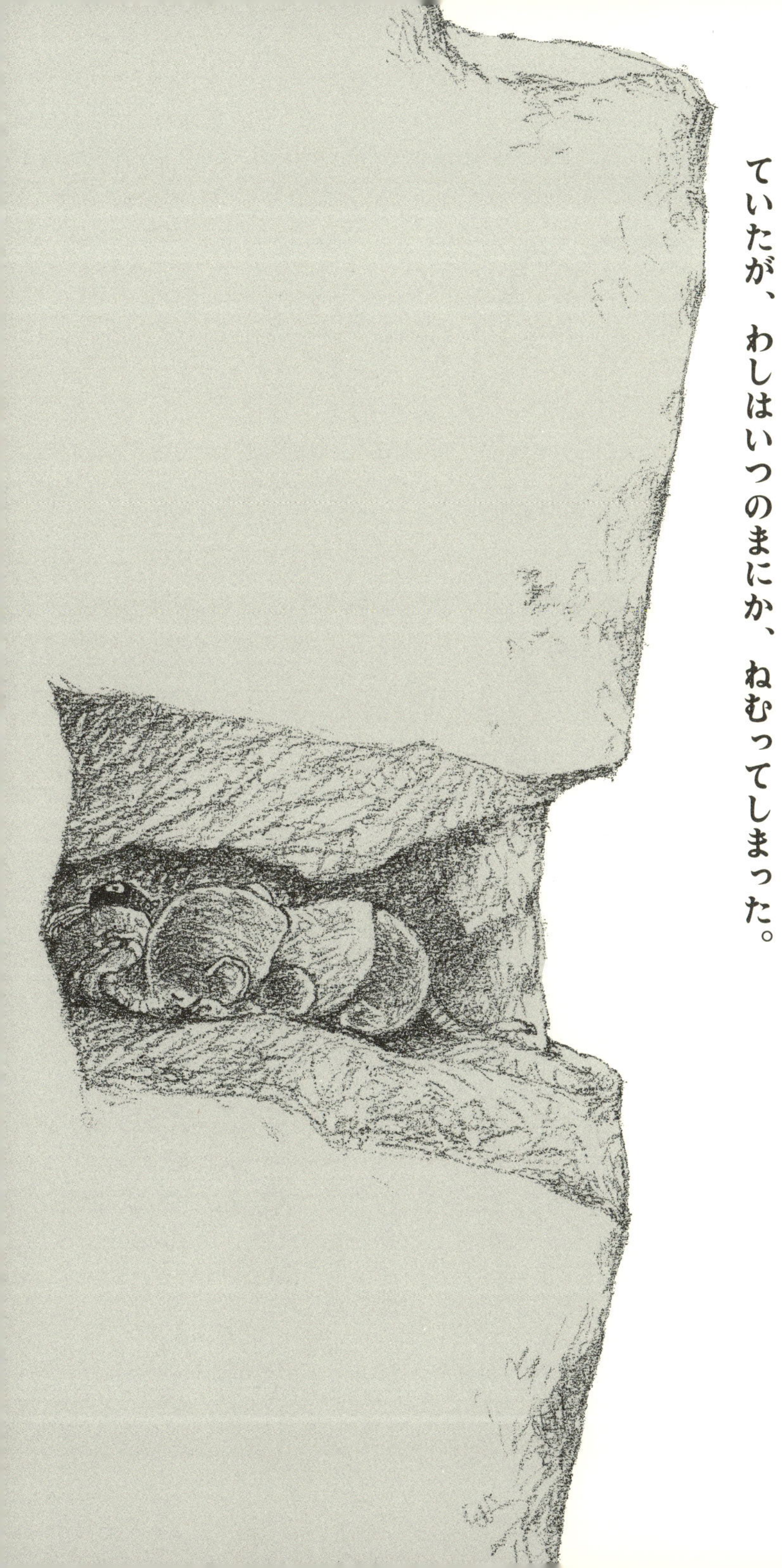

「ふーん、おじいちゃん、耳の中でねたの。耳の中だから、いろんな音がはっきりきこえたんだね」

クックがいった。

「おじいちゃん、いびきかかなかった？」

キッキが、うわ目づかいに、トガリィじいさんの顔をのぞきこんだ。

「イワザル、うるさかっただろうな」

クックがいうと、

「イワザルだから、うるさいなんて、イワザルだよね」

セッセが鼻(はな)の先をつきだして、ニヤッとわらった。すると、

「わしは、うまれたときから、いびきなどというものは、一度(いちど)もかいた

ことがないわい」
トガリィじいさんがむねをはった。
「ほんとかな」
キッキが、よこ目でトガリィじい
さんの顔を見た。
「ほんとかな」
セッセも、うわ目づかいに、トガ
リィじいさんの顔をのぞきこんだ。
トガリィじいさんは、もっとむねを
はって、てんじょうを見あげた。
「じゃ、ウソの話は、ほんと？」
クックがいった。
「そうそう、ウソの話がほんとうか
どうか、話をつづけよう」
トガリィじいさんがわらいながら、
あわてていった。

8

てっぺんの天ザル

わしは、いつのまにかトガリ山のてっぺんのすぐ近くに立っていた。どうやってここまできたんだろう。思いだそうとしても、さっぱり思いだせない。

トガリ山のてっぺんは、するどくとがった岩山だった。うっかり足でもすべらせたら、どこまでころがりおちていくかわからない。その岩山をサルが三びきよじのぼって行くのが見えた。岩と同じような毛のいろをしたサルだ。

わしは、リュックのポケットの中でねむっていたテントをおこした。

「テント、見ろよ、あそこ」

「なんだ、なんだ？　なにが、どうした」

テントがねむそうな声でいった。ポケットから顔をだしたらしい。

「ほら、サルが三びきのぼって行くのが見えるだろ」

「どこ、どこ」

テントは、まだねぼけているらしい。

「ほら、あそこだよ」

　わしがゆびをさすと、テントはリュックから肩にのぼり、うでづたいにツツーと走って、ゆび先にきてとまった。

「どこ、どこ」

　とんでもないところを見ている。あまりゆびの先まで行きすぎて、ゆびがどこをさしているのかわからなくなったらしい。テントは、すこしあとずさりして、ゆびがさしている方向をさがした。

「ほんとだ、サル」

「もしかしたら、あの三びき、イワザルの子かもしれない」

　わしが声をひそめていうと、

「イワザルの子?ウソの話はうそなのに。あれは、うそのイワザルの子?イワザルのうその子?」

　テントは首をかしげながら、じっと三びきのサルたちを見つめた。

三びきのサルたちは、先をあらそって、てっぺんへむかってのぼっていく。

三びきは、ほとんどどうじに、てっぺんにとびついた。

「いちばーん」

三びきは、ほとんどどうじにさけんだ。てっぺんは、キリのようにとがったてっぺんだったから、三びきは、足で岩山にしがみつき、うでで、たがいにだきあっていなければならなかった。

「てっぺんについた」

「てっぺんについた」

「てっぺんについた」

三びきが、じゅんにいった。

「これからどうする」

「これからどうする」

「これからどうする」

三びきが、じゅんにいった。

「天へ行く」

「天へ行く」

「天へ行く」

三びきが、またじゅんにいった。

「天ザルになる」

三びきが、ほとんどどうじにいった。

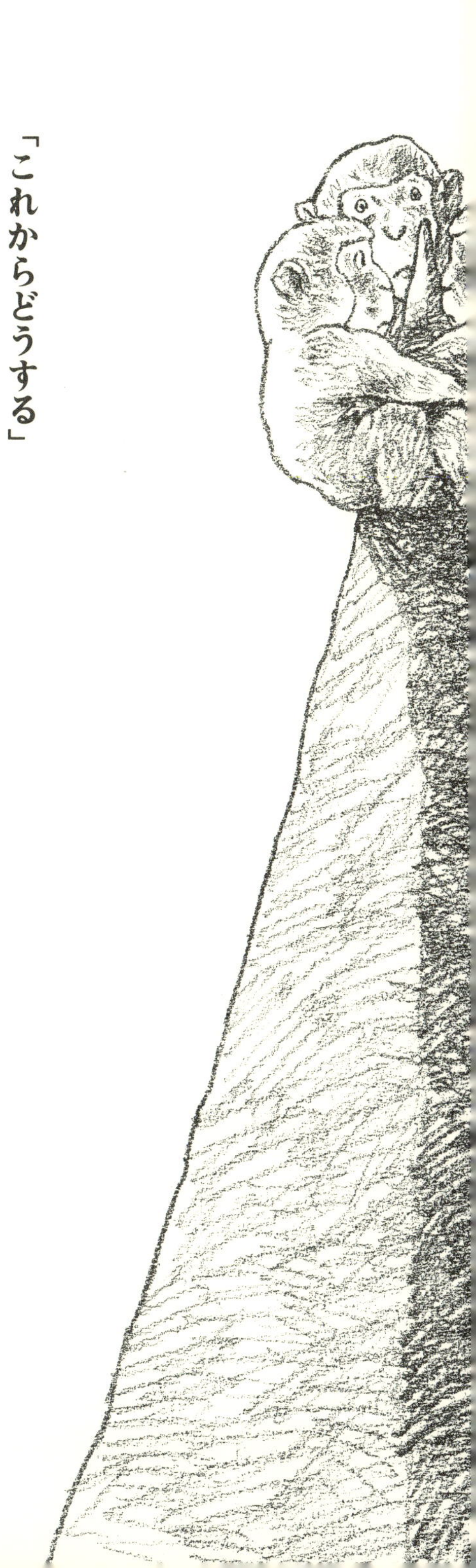

さっきから、ずっとゆびをさしていたので、わしのうではつかれはじめていた。

「テント、うでをおろすよ」

　わしがいうと、

「まって、まって。そのまま、ゆびでてっぺんつくって」

　テントがいった。わしがゆびを上にむけると、「えい！」と、テントは小さくいって飛び立った。

　テントは、サルたちのいるトガリ山のてっぺんへむかって、飛んでいった。

「ぼくにも、てっぺんにとまらせて」

　テントが、サルたちの上を飛びながらいった。

「いいけど、おれたちが一番だぜ」

　一ぴきのサルが、しぶしぶといった。

「おまえは、二番だぞ」

もう一ぴきのサルがいうと、

「ちがう。四番だよ」

と、のこりの一ぴきがいった。

「いいよ。ぼく四番で」

テントがいうと、

「じゃあ」

サルたちは、ほとんどどうじにいって、顔の前の、トガリ山のてっぺんをテントにゆずった。テントは、トガリ山のてっぺんにとまった。サルたちは、手をつないで、テントを見つめていた。

「トガリィ！　ぼく、トガリ山のてっぺんから、飛び立つよぉー！」

テントは、ありったけの大声でさけんだ。サルたちはおどろいて、うしろにのけぞった。わしは、思いきり両手をふった。

「えい！」

テントは、いつもより大きな声でいって、さっと羽を広げて、天にむかって飛び立った。

「テントぉー！」

わしがさけぶと、わしの声も、テントといっしょに、ぐんぐん天へすいこまれていった。テントが飛んでいくのを、じっと見つめていたサルたちが、ふとわれにかえって、ほとんどどうじにいった。

「行こ」

それから、

「えい！」

「えい！」

「えい！」

と、じゅんにいって、トガリ山のてっぺんから飛び立った。両手を広げたサルたちは、テントのきえた天へむかって、じゅんにきえていった。

「テントぉー！」

わしが、もう一度大声でさけぶと、

「トガリィ、トガリィ」

すぐそばで、テントがこたえた。わしは、目をこすった。天へ飛び立ったはずのテントが、目の前にいて、わしを見つめているではないか。

「どうした？ゆめ見た？」

よこにおいたリュックの上で、テントがいった。

9　ウソの話はほんと

イワザルの耳から顔をだして、そとをながめると、もう太陽(たいよう)は頭の上にきていた。夏の太陽は、ギラギラとあたりの岩や草をてらしていた。

谷川の音や風の音にまじってカロリン、カロリンという、へんな音がきこえてきた。なんの音だろう。耳をすますと、音は下の方からきこえてくる。

「ぼく、ようすを見てくる」

テントがいった。わしが、イワザルの耳のそとに、わしのてっぺんをだすと、テントは「えい!」といって飛(と)び立った。

空を見まわしたが、タカのすがたはなかった。わしは、イワザルの耳からでて、手の上におりた。耳のそとにでると、カロリンという音はきこえなくなった。

テントは、すぐにもどってきた。わしがさしだした鼻(はな)に、テントはまいおりた。

「なんだか、大きな生きものが、ねている」

テントが、羽(はね)をしまいながらいった。

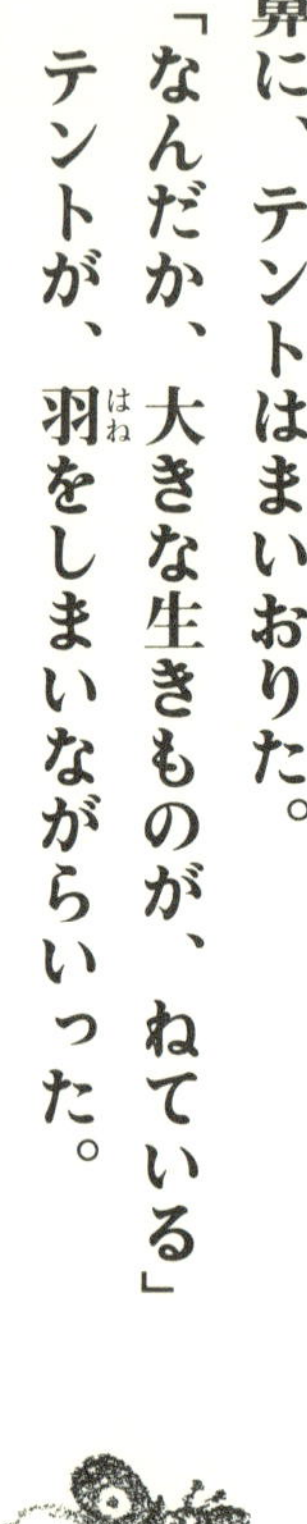

「ぼく、まだ、見たことのないやつだった。トガリイ、気をつけろ」

テントは、わしの頭にのぼった。

見おろすと、大きな生きものは、イワザルのひざのあたりで、イワザルがつくった日かげに入ってねむっていた。

わしは、そいつをおこさぬよう気をつけ、イワザルの口から、体の中に入って、足と足のあいだのすきまへおりた。

岩かげからのぞくと、すぐ目の前に大きな生きものが、ねむっていた。

そいつは、それまでわしが見たことのない生きものだった。わしたちの住む森や草原の生きものではなかった。口のまわりにはえている、はりがねみたいなひげだけは、ピンとのばしていたが、手も足もだらしなくほうりだしてねむっていた。首に赤いリボンをつけ、金いろのまるいものをぶらさげていた。

わしは、そいつに気づかれないように、草かげを歩いて、谷づたいの小道にでた。どんな生きものかわからないやつに、おそわれたらやっかいだ。どんなふうにおそってくるかわからないと、どうにげたらいいかもわからないからな。わしは、いそぎ足でイワザルからはなれた。

「どこか、わたるばしょはないかな」

わしは、ときどき、草のあいだから谷を見おろした。谷の流(なが)れは、ドドドォー、ドドドォーと、あいかわらずはげしい音をたてている。水たちは大きな岩をころがすほどのいきおいで、しぶきをあげながら流れていく。

「こんなとき、ぼくにもテントみたいに、羽(はね)があったらいいのにな」

わしがいうと、

「でも、トガリィには、てっぺんがある」

テントが、わしの頭の上でいった。

しばらく行くと、谷がゆっくりと右にまがりながらせまくなっていた。見ると、うまいことに、一本の大木が、むこう岸からこちら岸にかかってたおれているではないか。

「テント、あそこだ。あそこに橋がある！」

「どこ、どれ、どこ。あっ、橋。ぼく、見てくる」

テントは「えい！」といって、わしのてっぺんから飛び立つと、ひと足先に橋にむかった。谷づたいの道は二つにわかれ、一本は岩のあいだをぬって、橋にむかっておりていた。もう一本は、そのまま岸にそってつづいていた。

大木は、ずいぶん前にたおれたらしく、コケにおおわれていて、ところどころくさっていた。テントが、太いみきからつきだした、おれたえだの先にとまって、ようすを見ていた。

すこしぐらいくさっていても、わしたちのような、小さな動物がのったぐらいでは、びくともしないよう

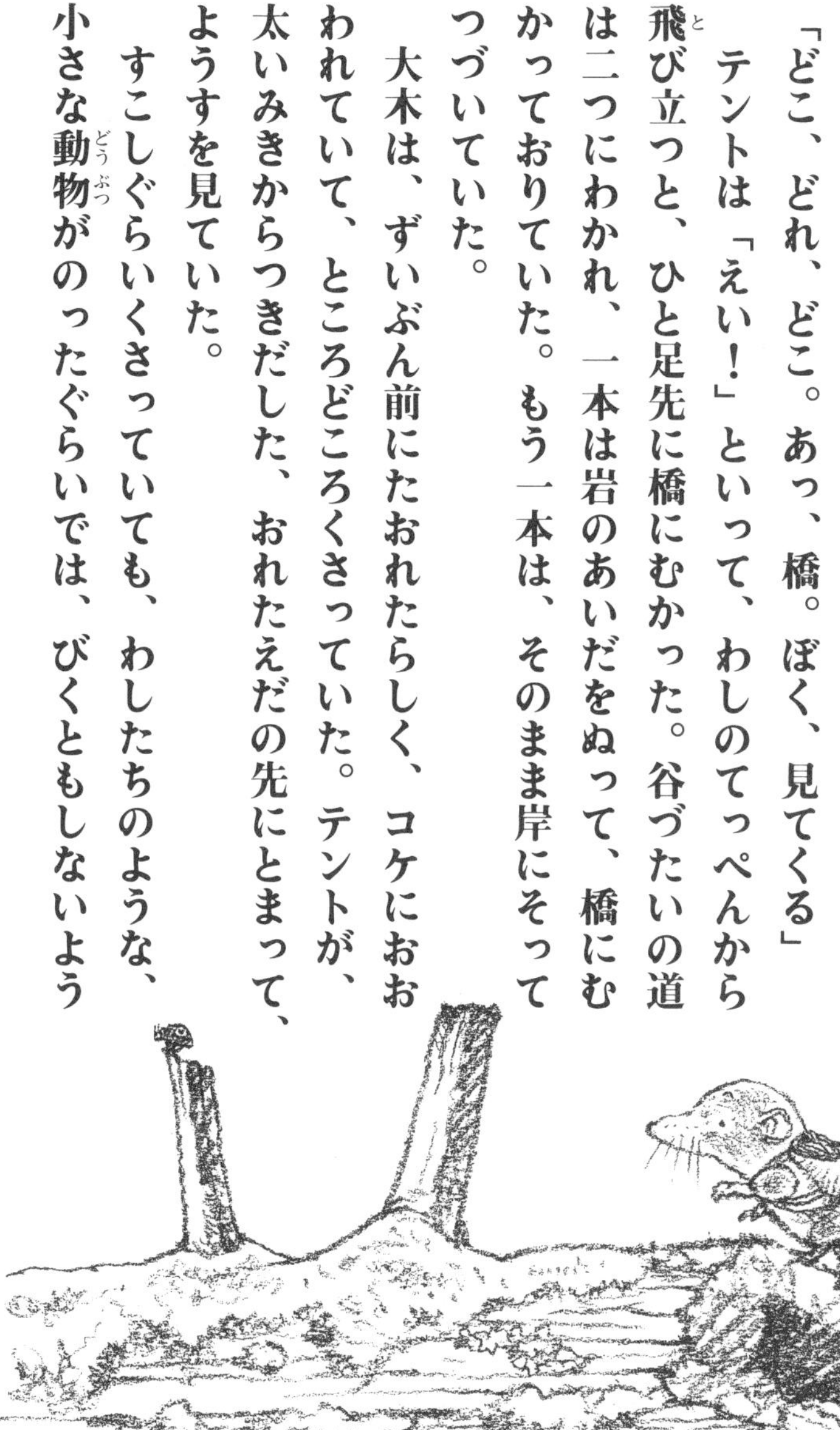

な大木だった。
わしが大木によじのぼり、谷をわたりはじめたとき
だ。ズズズズ、ズズーンというぶきみな音がして、地
面がグラグラとゆれた。
「じしんだ！」
わしは、コケをしっかりつかんで、大木にしがみつ
いた。石がガラガラと音をたて、谷におちていった。
わしも、大木ごと、谷におちてしまうかもしれないと
思った。あの、きゅうな流れの中におちたら、わした
ちトガリネズミなど、水の中のあぶくのように、あっ
というまにくだけてきえてしまうだろうさ。
だが、じしんはとまり、大木はおちなかった。テン
トが飛んできて、さけんだ。
「見て、見ろ、見な！イワザル！」
わしは、大木にしがみついたまま、おそるおそるイ
ワザルの方に顔をむけた。
なんということだ。イワザルが立ちあがっている！

イワザルは、じっと、森の上を見つめている。ウソの話はうそではなかったのだ。

　すると、岸の道の方から、カロン、カロリン、カロン、カロリン、という音がきこえた。

「あっ、さっきの、あいつ」

　テントがさけんだ。イワザルの日かげでねていた大きな生きものが、大あわてで走ってくるのが見えた。イワザルが、きゅうに立ちあがったので、びっくりしたのだろう。さもおどろいたというふうに、目をむいていた。

「あいつ、こっちへくる」

　わしは、大木の上に立ちあがった。こうしてはいられない。わしはむこう岸にむかって走った。谷川の音は、ますますはげしくなって、霧のようなしぶきといっしょにふきあげてきた。

　ふりかえると、あいつはもう大木のところにきていて、谷をわたろうとしている。いそがなくてはと思っ

たしゅんかん、わしはなにかにつまづいて、つんのめった。とっさに目の前にあった赤いキノコにしがみついた。だが、リュックの上のテントは、はずみでとばされ、大木の上にころがった。みどりいろのコケの上で、さかさまになって足をばたつかせている。わしは、立ちあがると、テントをおこしてやった。テントは大いそぎでわしの手から、肩へはいあがった。

はげしい谷川の音にまじって、カロン、カロリンという音がきこえてきた。あいつが、すぐ近くまできたらしい。もう、テントにてっぺんをつくってやる時間がない。てっぺんをつくると、前がよく見えなくなるからな。わしは走りながらさけんだ。

「テント、どこからでも、飛べ。ぼくといっしょに、あいつに食われてしまうぞ」

テントは、わしの耳の先によじのぼってとまった。

「えい！」

谷川の音にまじって、テントの声がきこえた。だが、

テントが、ぶじ飛び立ったかどうか、たしかめることはできなかった。ころばないように、大木の上を走るのが、せいいっぱいだった。

　わしは夢中で走った。カロン、カロリン。あいつの音が、すぐうしろできこえた。もうだめだ。あいつのほうが足がはやい。

　そのとき、すこし先に、小さなあながあるのを見つけた。のぞくと、中はわし一ぴきがちょうど入れるくらいのあなだ。わしは夢中で、頭からもぐりこんだ。

　カロン、カロリン。あいつの音は大きくなり、あなの上をとおって、すぐにとおざかった。ゼーゼーあらい息をして、あいつはわしには気づかず、大あわてで橋をわたって行ってしまった。

　しばらく、そのままじっとしていた。きこえてくるのは、ドドドォー、ドドドォーという、はげしい谷川の音だけだ。わしの鼻先に、アリが三びきでてきて、なんだ？という顔をして見ていた。

わしは、おしりに気もちをあつめ、さかさまのまま、ゆっくりあなをでた。ピンと立てたシッポの先に、なにかがとまった。ふりむくと、それはテントだった。

「あいつ、走って行っちゃった」

テントは、シッポをつたって、おしりから背中のリュックにのぼってきた。

「トガリィ、つかまらなくてよかった」

「テントこそ、てっぺんからじゃなくて、よく飛べたね」

「うん。あぶなく、谷へおちそうになった。でも、ぼく、がんばった。耳も、小さなてっぺんだね」

テントがそういったとき、わしはなにげなくイワザルのほうを見た。

「あっ、イワザル」

わしは思わずさけんだ。

「えっ、おや、あれれ！」

テントもおどろいて、わしの頭の上にかけあがって

きた。イワザルは、いつのまにか、もとのままわって、しずかに目をふせていた。イワザルはじっと動かなかった。イワザルの上を、風がゆっくりと雲をはこんでいった。

「イワザル、ほんとに立ちあがったの、すげぇ」

セッセが、立ちあがりながらいった。

「すげぇ」

クックも、目をまるくして立ちあがって、

「イワザル、歩かなかったの？」

といった。

「立ちあがるだけでもたいへんなのに、歩けるわけないだろ」

セッセがいった。

「イワザルは、おじいちゃんが、イワザルの耳の中で三びきの子ザルのゆめを見たので、きっとあいたくなったんだ」

キッキがいった。

「どうして、おじいちゃんが三びきの子ザルのゆめを見たのがわかったのさ」

セッセがいうと、

「それは、イワザルの耳の中で見たからじゃないの」

クックがいった。

セッセはクックの顔を見つめて、

「わかった。おじいちゃん、ねごといったんだ。そうだよね」

といって、トガリィじいさんを見た。

「わしは、うまれたときから、ねごとなどというものは、一度(いちど)もいったことがないわい」

トガリィじいさんがむねをはった。

「ほんとかな」

セッセが、うわ目づかいに、トガリィじいさんの顔をのぞきこんだ。

トガリィじいさんは、もっとむねをはって、てんじょうを見あげた。

「きっと、おじいちゃんがイワザルの中で見たゆめだから、イワザルもいっしょに見たんじゃない」

キッキがいうと、

「いっしょに見たんだ」

クックが両手(りょうて)をこしにやった。

「それより、その、あいつって、いったいなにものなんだ」

セッセが、トガリィじいさんの顔を見あげた。

「このあたりの森や草原の生きものではない」

キッキがうでぐみをしていった。

「はりがねみたいなひげ」

セッセもうでぐみをしていった。

「カロン、カロリンという音をだす」

クックもうでぐみをしていった。

「大きな生きもの」

「テントも見たことがない」

「おじいちゃんも見たことがなかった」

「首に金いろのまるいものをぶらさげている」

「足がはやい」

「ゼーゼーあらい息をしていた」

三びきが、うでぐみをしたまま、

かわりばんこにいった。
「それまで、おじいちゃんが見たことがないってことは、あたしたちもまだ見たことがない？」
キッキが、トガリィじいさんの顔をのぞきこんだ。
「たぶん、おまえたちも、まだ見たことがないだろう。でも、このごろ、あいつみたいなのが、このあたりの野山をうろついている話は、ときどき耳にするから、おまえたちもであうことがあるかもしれない。あいつがどんな生きものか、わしの話をきいていくうちに、だんだんわかってくるさ。わしも、あいつと何回もであっていくうちに、あいつのことが、

すこしずつわかっていったのさ」

「ふーん。おじいちゃん、あいつってこわい?」

キッキが声をひそめていった。

「あいつって、なにを食べるの?」

セッセも声をひそめていった。

「おじいちゃん、あいつに食べられちゃう?」

クックも声をひそめていった。

「それは、また、あしたのおたのしみ」

トガリィじいさんが、三びきの顔をゆっくり見まわしていった。トガリィじいさんのへやのそとで、草がさわぐ音がした。風が、大いそぎで、どこかへ走っていったのだろう。

いわむら　かずお

1939年東京に生まれる。東京藝術大学工芸科卒業。

1975年東京を離れ、家族とともに栃木県益子町に移り住む。

「14ひきのシリーズ」（童心社）や「こりすのシリーズ」（至光社）など多くの作品が、フランス、ドイツ、中国、スイスなど多くの国でもロングセラーとなり、世界のこどもたちに親しまれている。

『14ひきのあさごはん』（童心社）で絵本にっぽん賞、『14ひきのやまいも』で小学館絵画賞、『ひとりぼっちのさいしゅうれっしゃ』（偕成社）でサンケイ児童出版文化賞、『かんがえるカエルくん』（福音館書店）で講談社出版文化賞絵本賞、エリックカールとの合作『どこへ行くの？ To See My Friend!』（童心社）でピアレンツ・チョイス賞（アメリカ）受賞。

1991年日本各地の森や山を歩き取材を重ねた「トガリ山のぼうけん」シリーズがスタート、1998年全8巻完結。

1998年栃木県那珂川町に「いわむらかずお絵本の丘美術館」を設立。絵本・自然・こどもをテーマに活動を続けている。

「ゆうひの丘のなかま」シリーズ（理論社）「ふうとはな」シリーズ（童心社）「カルちゃんエルくん」シリーズ（ひさかたチャイルド）などは、美術館のある「えほんの丘」に暮らす生きものたちを主人公に描いた作品である。

2014年、フランス藝術文化勲章シュヴァリエを受章。

＊本書は1991年～1998年に刊行された「トガリ山のぼうけん」シリーズ（全8巻）の新装版です。

トガリ山のぼうけん①
風の草原 新装版

2019年10月 初版
2022年9月 第3刷発行
文・絵 いわむらかずお
ブックデザイン 上條喬久
発行者 内田克幸
編集 岸井美恵子
発行所 株式会社理論社
東京都千代田区神田駿河台二-五
電話 営業 03-6264-8890
編集 03-6264-8891
URL https://www.rironsha.com
印刷・製本 中央精版印刷株式会社

ISBN978-4-652-20341-5
NDC913 A5判 22cm 135p

トガリ山のぼうけん（全8巻）

いわむらかずお

第①巻『風の草原』
第②巻『ゆうだちの森』
第③巻『月夜のキノコ』
第④巻『空飛ぶウロロ』
第⑤巻『ウロロのひみつ』
第⑥巻『あいつのすず』
第⑦巻『雲の上の村』
第⑧巻『てっぺんの湖』